Chère lectrice,

Je suis très heureuse de vous retrouver en ce début d'année 2013. Pour fêter ce nouvel an comme il convient, je vous propose, parmi votre sélection de ce mois, un volume double exceptionnel : *Secrets au palais*, de Jane Porter (Azur n° 3312). Vous y découvrirez le destin croisé de deux jeunes femmes qui n'ont, semble-t-il, rien en commun… à part leur incroyable ressemblance ! Je ne doute pas que leur passionnante aventure et leur troublante rencontre avec l'amour vont vous émerveiller.

Laissez-vous tenter également par les bouleversantes retrouvailles d'Erin et Cristo Donakis dans *Un cadeau inattendu*, de Lynne Graham (Azur n° 3310). Vous serez, j'en suis certaine, profondément émue par le personnage d'Erin, partagée entre la perspective de former avec Cristo la famille dont elle a toujours rêvé, et la crainte de souffrir de nouveau.

Des romans qui permettent de démarrer l'année sous les meilleurs auspices, vous ne trouvez pas ? Alors, à vos lectures !

Je vous souhaite une très bonne année 2013 et vous donne rendez-vous le mois prochain, pour d'autres belles histoires.

La responsable de collection

D0974514

Promesse sous contrat

LINDSAY ARMSTRONG

Promesse sous contrat

collection *Azur*

éditions HARLEQUIN

Collection : Azur

*Cet ouvrage a été publié en langue anglaise
sous le titre :*
HIS CONVENIENT PROPOSAL

Traduction française de
TATIANA ANDONOVSKI

HARLEQUIN®
est une marque déposée par le Groupe Harlequin
Azur® est une marque déposée par Harlequin S.A.

Service Lectrices — Tél. : 01 45 82 47 47
www.harlequin.fr
ISBN 978-2-2802-7868-3 — ISSN 0993-4448

1.

Le vol de Johannesburg à Sydney n'en finissait plus.

Brett Spencer ne fut donc pas étonné que sa voisine de classe affaires se montre aussi bavarde. Le fait qu'elle fût blonde, sensuelle, âgée d'environ vingt-cinq ans et vêtue d'un haut rouge moulant très décolleté mettant en valeur sa poitrine abondante n'avait rien à voir avec son désir de lui faire la conversation.

Le temps qu'on leur serve le dîner, ils avaient déjà fait amplement connaissance. Il lui avait raconté qu'il était médecin et qu'il rentrait chez lui à Brisbane après une mission au Congo où il avait étudié les maladies tropicales. De son côté, il savait qu'elle était danseuse topless et qu'elle venait de terminer une revue à Sun City en Afrique du Sud.

Elle avait des yeux violets, un visage ovale, un teint crémeux et un rire charmant.

Tout en mangeant son bœuf mariné aux herbes et en sirotant un verre de vin rouge, elle continua à lui raconter sa vie. Née Kylie Jones, elle avait un jour décidé de s'appeler Chantal et de partir à la conquête du monde. A la fin du récit, Brett en avait conclu que cette ravissante jeune femme n'avait pas eu une enfance facile mais qu'elle n'avait pas hésité à utiliser ses atouts pour s'en sortir.

Après le dîner, ils regardèrent un film puis burent un dernier verre alors que la cabine avait sombré dans le silence.

Comme Chantal ne semblait pas avoir sommeil, ils allongèrent leurs sièges, s'installèrent confortablement et continuèrent à discuter à voix basse, isolés dans leur cocon de lumière.

Puis, l'intimité aidant, elle posa une main sur son bras.

Il observa ses ongles rouge brillant, puis la regarda droit dans les yeux et devina ce qu'elle allait dire.

— Tu as une petite amie ?

— Pour le moment, non.

— Ça m'étonne, dit-elle tout en laissant ses ongles glisser sur sa peau.

— Tu sais, quand on travaille au milieu de nulle part, ce n'est pas facile de faire des rencontres.

— Et si on sortait ensemble ? Je crois que tu es mon genre d'homme.

— Ah oui, et quel est ton genre d'homme ?

Il se rassura en se disant que la seule raison pour laquelle il continuait cette conversation était qu'il était bloqué dans un long-courrier, à dix mille mètres d'altitude.

— Un homme qui arrive à faire sentir à une femme qu'elle est le centre du monde.

— Tu devrais veiller à ne pas juger les gens sur les apparences, rétorqua-t-il simplement.

— Certains signes ne trompent pas. Il n'y a pas que le physique qui compte, même si de ce côté-là on peut dire que tu as été gâté. Non, je dirais que c'est plutôt une question d'aura. Ta façon de parler, de sourire, ton sens de l'humour… Tu as tout pour me plaire.

Durant quelques secondes, Brett eut envie d'accepter son offre. Après tout, il aurait fallu être de marbre pour ne pas être tenté par une proposition aussi alléchante. Mais sa raison reprit rapidement le dessus.

Il lui adressa un sourire amical tout en recouvrant sa main de la sienne.

— Chantal, je te remercie de ton offre, mais…

— Je ne suis pas ton genre ?

— C'est plus compliqué que ça. Tout d'abord, je suis plus âgé que toi…

— Tu as quel âge ?

— Trente-cinq ans. Alors que toi tu dois avoir… vingt et un ans ?

— Vingt-quatre, répondit-elle, visiblement flattée.

— J'ai donc onze ans de plus que toi et l'expérience m'a appris qu'un couple doit apprendre à se connaître avant de plonger dans le vif du sujet.

— Si nous n'étions pas dans un avion, je te prouverais que tu as tort. Il faut bien commencer quelque part.

— En effet, tu as raison, mais je m'en tiendrai là.

— Donc je ne pourrai jamais être ta femme idéale ?

— Disons plutôt que je ne pourrai jamais être ton homme idéal.

Elle finit par s'endormir, mais pas lui. Peut-être parce qu'il sentait que sa vie était sur le point de changer du tout au tout ? Il rentrait chez lui pour la première fois depuis cinq ans, heureux de retourner à la civilisation. Mais il ignorait combien de temps il résisterait à l'appel de la nature.

Et puis, il y avait Elvira Madigan. La fiancée de son meilleur ami, qu'il avait recueillie chez lui onze ans auparavant…

2.

Le premier message sur le frigo disait :

« Maman chérie,

» Je ne suis pas aveugle. Je sais qu'il y a un nouvel homme dans ta vie. J'espère que cette fois tu as mieux choisi. Mais surtout il n'y a plus rien à manger dans le frigo. Tu remarqueras que je n'ai pas employé de gros mots.

» Ton fils chéri,

Simon »

Le second message, écrit d'une main d'adulte, disait :

« Simon, le frigo est plein à craquer. Il n'y a pas de plats congelés à réchauffer au micro-ondes car ce n'est pas bon pour la santé.

Ta maman qui t'aime »

En haut du troisième message, il y avait le dessin d'un garçon roux pleurant à chaudes larmes.

« Maman, je n'ai que dix ans ! Je ne sais pas encore cuisiner donc j'ai le droit de manger une pizza en période de détresse. Les autres enfants en mangent tout le temps et ils n'ont pas l'air de se porter plus mal que moi. N'oublie pas que je suis le fils unique d'une maman célibataire qui travaille.

» Simon

» P.-S. : Garçons affamés du monde, unissez-vous ! »

Le dernier message était le plus long :

« Le chantage ne te mènera nulle part. Je ne suis pas d'accord avec toi. Je te cuisine deux plats équilibrés par jour et je me décarcasse pour que tu puisses emmener à l'école des déjeuners délicieux et variés. Tu n'as pas besoin d'apprendre à cuisiner. Mais si tu as faim entre les repas, rien ne t'empêche de te faire un sandwich (ou plusieurs) avec la viande froide, la salade et le fromage que tu trouveras dans le frigo, en cherchant bien. Et si tu meurs d'envie de te servir du micro-ondes, il reste du ragoût de poulet d'hier soir à réchauffer.

» Maman

» P.-S. : Mamans submergées du monde, unissez-vous ! »

En bas du message, on voyait le dessin d'une femme avec six bras, tenant deux casseroles, deux spatules, un balai et un fer, et coiffée avec des pinces à linge.

Le frigo trônait dans la cuisine qui donnait sur le jardin. Cette pièce avait toujours été agréable, mais Brett Spencer s'aperçut qu'il y avait eu des petits ajouts au fil des ans. De jolis rideaux jaunes avec des marguerites blanches, des pots colorés plantés d'herbes aromatiques, des nouveaux couteaux aux manches noirs sortant d'un support de bois, un robot ménager et une nouvelle armoire à épices.

Le plateau de la table ronde, où étaient disposées une corbeille de fruits, une balle de cricket et une casquette de base-ball, était jonché de magazines et de livres.

Soudain la porte de derrière s'ouvrit et un jeune garçon entra précipitamment.

En voyant Brett, il se figea.

— Qui es-tu ?

Brett ne fut pas décontenancé.

— Je m'appelle Brett et je suis venu rendre visite à ta maman. Tu dois être Simon.

Le garçon posa son cartable sur la table puis inspecta Brett.

— Aurait-elle enfin tiré le bon numéro ?

— C'est-à-dire ?

— D'habitude, elle tombe que sur des types bizarres. Tu as l'air plutôt normal. Et ta voiture dans l'allée est super-cool.

— Des « types bizarres » ? Tu peux m'expliquer ?

— Le dernier était obsédé par le « retour à la nature ». Il nous emmenait constamment marcher, faire des courses d'orientation et observer les oiseaux. Il m'empêchait de regarder la télévision et n'arrêtait pas de m'apprendre des méthodes de survie. J'espère que tu n'es pas comme lui. A priori, tu n'as pas l'air, mais on ne sait jamais…

— Tu as raison, il ne faut pas se fier aux apparences.

— Avant ça, il y avait eu l'artiste. Il détestait le sport et il n'arrêtait pas de critiquer maman.

— Ah bon ?

— Maman a des goûts artistiques conventionnels. Il lui disait qu'elle avait autant de talent qu'une poule. Moi je disais à maman qu'une poule munie d'un pinceau ferait de meilleurs tableaux que les siens.

— Bien dit.

— Tu es sûr que tu n'es pas un artiste ?

— J'en suis sûr. Et moi aussi j'ai des goûts artistiques conventionnels.

— Avant ça, il y avait eu la figure paternelle. Sans doute le pire de tous.

— Pourquoi ?

— Il voulait toujours m'aider à faire mes devoirs ou jouer au Scrabble. Il n'arrêtait pas de nous poser des colles.

— C'était pire que le retour à la nature ?

— Oui. En plus, il n'avait aucun sens de l'humour.

— Alors ça, c'est impardonnable.

— Surtout si on a une maman qui aime bien rigoler.

— Y en a-t-il un qui t'ait plu ?

Simon prit un air coquin pour répondre :

— Il y en a un qui ne me dérangeait pas trop parce qu'il me donnait régulièrement des billets de cinq dollars en me disant d'aller voir ailleurs.

— Je vois… Moi, j'adore le cricket.

— C'est vrai ? Plus que le Scrabble ?

— Bien plus. Tu penses que je suis le nouvel ami de ta maman ?

Simon haussa les épaules.

— Ben oui… J'imagine que c'est elle qui t'a dit d'entrer et de faire comme chez toi.

Soudain la porte arrière s'ouvrit de nouveau.

— Simon, désolée d'être en retard. Quelqu'un t'a raccompagné ? A qui appartient la voiture dans l'allée ?

En voyant Brett, elle s'arrêta net, stupéfaite.

Cela faisait cinq ans qu'il n'avait pas vu Ellie Madigan.

Elle avait embelli. La trentaine lui seyait à merveille. En tout cas, ce n'était plus la jeune fille timide à l'air naïf que son meilleur ami Tom King lui avait présentée, onze ans auparavant.

En entrant dans la cuisine, elle avait immédiatement animé la pièce avec son énergie et son sourire. Ses cheveux bruns coupés au carré brillaient, mettant son visage en valeur. Elle avait le teint frais, ses yeux noisette expressifs et vifs étincelaient de paillettes dorées et sa tenue soulignait la sveltesse de son corps. Ainsi vêtue d'une jupe courte jaune et d'un haut blanc moulant, on avait du mal à croire qu'elle puisse être la mère d'un enfant de dix ans.

— Brett, quelle surprise !

— Excuse-moi. J'aurais dû te prévenir. J'espère que cela ne te dérange pas que je sois entré dans la maison en ton absence.

— C'est chez toi, après tout, tu n'as pas à t'excuser.

— Pourquoi tu dis que c'est chez lui ? demanda Simon à sa maman en regardant Brett d'un air méfiant.

— Simon, je n'ai pas eu le temps de me présenter correctement. Je m'appelle Brett Spencer. Je suis le propriétaire de la maison. Je t'ai vu à ta naissance et quand tu avais cinq ans mais tu ne te souviens pas de moi.

— Ah, je comprends… Tu étais le meilleur ami de mon père, c'est ça ? Maman, c'est génial. Il a des goûts artistiques conventionnels, il n'aime pas observer les oiseaux ou les abeilles et il adore le cricket. Que demander de plus ?

— Simon…, dit Ellie, à la fois amusée et gênée.

— Bon, je vous laisse ! Et ça ne te coûtera rien, Brett, dit-il en lui adressant un clin d'œil.

Il prit une pomme dans la corbeille, vissa la casquette sur sa tête, prit la balle de cricket et sortit.

Ellie se laissa choir sur une chaise.

— Qu'a-t-il voulu dire par « Et ça ne te coûtera rien » ?

— D'après ce que j'ai compris, un de tes anciens compagnons lui donnait régulièrement des billets de cinq dollars pour le voir disparaître.

— Tu plaisantes ?

— Non, à moins que Simon ne raconte des mensonges.

— Simon est très honnête. Et j'ai l'impression qu'il a eu le temps de te révéler toute ma vie privée, dit-elle en rougissant.

— Il m'a parlé de tes anciens compagnons.

— De quel droit parliez-vous de ça ?

— Je crois qu'il soupçonnait que tu avais un nouvel ami et, comme il m'a trouvé dans la cuisine en rentrant de l'école, il en a conclu que j'étais l'homme en question.

— Mais cela n'explique pas…

— On dirait qu'il n'a jamais aimé tes compagnons, coupa-t-il.

Ellie parut contrariée par sa remarque.

— Tu crois que je ne le sais pas ? Pourtant, j'ai toujours espéré combler un vide dans sa vie.

— Tu aurais peut-être dû mieux choisir…

— Je n'ai pas envie de poursuivre cette conversation

avec toi. Je peux savoir pourquoi tu es là ? demanda-t-elle, impatiente.

Il prit une chaise et s'assit en face d'elle.

— J'ai décidé qu'il était temps de régler certaines questions.

Ellie paniqua. Sa vie était-elle sur le point d'être chamboulée ? Elle se devait de rester calme et d'adopter un esprit ouvert.

— Tu veux reprendre ta maison ?

— Non. A moins que tu n'aies décidé de te marier et de déménager.

— Ce n'est pas d'actualité.

— Et ce nouvel homme dans ta vie ?

— De quoi parles-tu ?

— J'ai lu les messages sur le frigo.

— Nous sommes loin du mariage.

— Mais vous formez un couple, non ?

— Disons que nous avons déjeuné et... Oh ! j'avais oublié, je l'ai invité à dîner ce soir.

— C'est courageux, dit-il d'un ton amusé, tout sourires.

— Je ne vois pas ce qu'il y a de drôle.

Mais au fond d'elle il se passa quelque chose d'indicible. Brett Spencer était beau à craquer quand il souriait et elle était loin d'être insensible à son charme.

— Etant donné l'attitude de Simon face à tes compagnons, je crois qu'il vaut mieux que je reste pour te prêter main-forte.

— Tu veux dire que tu vas rester pour la soirée ou que tu es revenu habiter ici ?

— Je suis revenu habiter ici.

— Combien de temps ?

— Indéfiniment.

— Mais...

— Nous pouvons partager la maison, non ? Cela ne me dérange pas. Et toi ?

— Non, mais... Que va-t-il se passer ?

— L'avenir nous le dira. Pour le moment, prenons les choses au jour le jour.

Elle resta pensive un instant.

— Pourquoi es-tu rentré en Australie, au juste ?

— J'avais besoin de faire une pause. Et j'ai reçu des fonds pour ouvrir un laboratoire de recherche.

— Intéressant, dit-elle sans parvenir à se montrer convaincante.

— En tout cas, ça l'est pour moi. Mais je comprends que tu ne sautes pas de joie à l'annonce de la nouvelle.

— Désolée, mais je suis sous le choc. Pourquoi n'as-tu pas pensé à me prévenir, d'une manière ou d'une autre ?

— J'y ai pensé mais je ne voulais pas t'alarmer.

— Je vois.

Intérieurement, elle en voulait un peu à Brett d'être rentré à l'improviste mais, de crainte de passer pour ingrate, elle s'abstint de tout commentaire.

— Tu as l'air très en forme, lâcha-t-il enfin.

Ellie sentit qu'il l'inspectait minutieusement et, en cet instant, il aurait fallu être la reine des glaces pour ne pas être sensible à son regard scrutateur.

Le Dr Brett Spencer — un mètre quatre-vingt-dix, yeux vifs argentés, allure décidée et corps athlétique — était non seulement un chercheur émérite spécialisé dans les maladies tropicales, mais il était aussi capable de faire fondre une femme en quelques secondes.

C'était si bon d'imaginer que cet homme serein, confiant et bâti comme un dieu puisse la trouver attirante. Mais il ne fallait pas oublier que cela était de l'ordre du fantasme. Revenir au plus vite sur terre était la meilleure chose à faire.

S'emparant d'un magazine, elle le feuilleta distraitement. Ce n'était pas une envie subite de lire qui l'avait poussée à agir de la sorte, mais la peur de sentir ses seins se tendre sous le regard envoûtant de cet homme à la carrure imposante dont la présence la déstabilisait.

Enfin, elle trouva la force de continuer la conversation.

— Merci. En effet, je me sens très bien en ce moment.

— Tu es satisfaite de ta vie ?

— Très satisfaite. J'ai enfin décroché mon diplôme d'orthophoniste et je travaille essentiellement avec des enfants. J'adore ce métier !

Ne voulant pas se perdre dans des détails inutiles, elle avait réussi à adopter un ton plus enthousiaste.

— C'est formidable, je suis très content pour toi. En ce qui concerne Simon, qu'est-ce qu'il ressemble à Tom ! Et je crois déceler une véritable vivacité d'esprit.

— Oui, il a de grandes facilités à l'école. C'est pourquoi j'essaie de lui fournir un environnement stimulant et d'élargir son champ d'action.

— Alors j'ai bien fait de rentrer !

Son exclamation la prit légèrement au dépourvu mais elle n'y réfléchit pas plus avant. Tout était encore trop confus.

Il se leva d'un bond.

— J'aimerais prendre une douche et m'installer, si tu veux bien.

— Donne-moi un instant, je vais débarrasser ta chambre.

— Pourquoi ? A-t-elle servi à héberger tes compagnons ?

Sa question la piqua au vif.

— Non, pas du tout. C'est là que je garde mon stock.

— Ton stock ?

— Je ne sais pas si tu te souviens, mais je fabrique des cerfs-volants que je vends sur le marché un dimanche par mois. Les recettes sont versées sur un compte qui est destiné à te rembourser.

— Voyons, Ellie, tu sais que tu ne me dois rien. Garde cet argent pour toi et Simon.

Il n'avait pas idée à quel point son attitude était blessante.

Une heure plus tard, Ellie s'enferma dans sa chambre. Enfin seule, elle n'arrivait pas à savoir à qui elle en voulait le plus : à elle-même, à Brett Spencer ou à Simon.

Elle avait débarrassé la chambre de Brett et avait même dû lui donner un rasoir rose quand il avait découvert qu'il s'était trompé de bagage à main en quittant l'avion. Il avait appelé la compagnie aérienne dans la foulée. Ecoutant d'une oreille distraite, elle l'avait entendu dire qu'il soupçonnait que c'était probablement sa voisine dans l'avion qui avait commis l'erreur.

Pendant qu'il se douchait, elle avait tenté sans succès de contacter l'homme qu'elle avait invité à dîner pour annuler la soirée. Au pied du mur, elle n'avait eu d'autre choix que de se mettre en cuisine.

A présent, le repas était prêt et elle avait environ trente minutes pour souffler.

En regardant par la fenêtre, elle vit Brett jouer au base-ball avec Simon.

La maison, très spacieuse, possédait un magnifique jardin et une piscine, et fournissait tout le confort dont on pouvait rêver.

Non, elle n'en voulait pas vraiment à son fils. Comment l'aurait-elle pu ? Elle l'adorait et lui pardonnait d'avoir raconté sa vie privée sans lui avoir demandé son avis.

Pour ce qui était de Brett Spencer, c'était plus compliqué. La façon dont elle réagissait en sa présence la mettait mal à l'aise.

Elle se mit à rêver, repensant aux premières réactions qu'il avait provoquées en elle…

Elle avait rencontré Tom King à l'université. A l'époque, elle avait dix-huit ans, lui en avait vingt-deux. Cet étudiant en génie civil était beau à craquer. Il possédait un appartement, une voiture, jouait au polo et elle se sentait admirablement bien avec lui — surtout après avoir passé des années sous le joug d'une belle-mère jalouse. Tom était ouvert, dynamique, honnête. Elle s'était jetée dans cette nouvelle vie sans se poser de questions, enivrée par un délicieux sentiment de bien-être.

Tom avait un cercle d'amis très étendu mais son meilleur ami était indéniablement Brett Spencer, étudiant en médecine et véritable coqueluche des filles.

A vingt-quatre ans, Brett arborait déjà une assurance et une volonté sans limites. Enigmatique, il jouait à merveille au polo et réussissait brillamment ses études. Il pouvait se montrer tour à tour laconique et cassant, mais, quand il souriait, il était à tomber à la renverse.

Petit à petit, Ellie avait compris pourquoi Tom était autant en admiration devant Brett. Ils étaient amis d'enfance, jouaient dans la même équipe de polo, et quand les parents de Tom étaient décédés dans un accident de remontée mécanique, alors qu'il n'avait que treize ans, celui-ci avait été recueilli chez les Spencer.

Mais, de son côté, Ellie avait souvent été mal à l'aise en présence de Brett. Il ne lui avait jamais rien dit de désobligeant, mais elle avait toujours eu l'impression qu'il ne la prenait pas au sérieux, et qu'à ses yeux elle n'était qu'une passade pour Tom.

D'ailleurs, elle s'était elle-même posé la question.

A priori, elle n'appartenait pas au cercle social de Tom. Elle avait dû travailler dur pour pouvoir se payer des études, elle était de loin beaucoup moins sophistiquée que les autres filles du groupe et elle manquait cruellement de confiance en elle.

Au départ, elle avait été réticente à l'idée de s'engager dans une relation avec Tom. Mais ce dernier n'avait pas lâché prise et, après six mois de flirt, succombant au désir, elle avait cédé à la pression et lui avait offert sa virginité.

Pendant un mois, elle avait vécu au paradis. Puis soudain sa vie avait basculé. Tom avait été tué lors d'une partie de polo et, quelques semaines plus tard, elle avait découvert qu'elle était enceinte de lui, malgré les précautions qu'ils avaient prises.

C'est alors que le destin était venu à sa rescousse.

A cette époque de sa grossesse, les malaises du matin étaient fréquents. Un jour, elle s'était retrouvée agrippée à un parcmètre en plein centre de Brisbane, nauséeuse, prise de vertiges, quand Brett Spencer, qui passait là par hasard, l'avait remarquée.

Après l'avoir fait asseoir, il avait vite compris d'où venait le problème. Elle se souvenait encore de l'expression de son visage quand elle lui avait appris la nouvelle : légèrement cynique et à peine surpris qu'elle se retrouve dans une telle situation…

Mais il n'avait pas perdu de temps à donner son avis et avait aussitôt évoqué le côté pratique, et surtout les aspects financiers. Après lui avoir expliqué que Tom avait dépensé tout l'héritage de ses parents, il lui avait fait une offre sidérante. Sans limite de temps et sans condition, il lui avait proposé d'emménager chez lui et de lui verser une pension alimentaire jusqu'à ce qu'elle puisse assurer sa subsistance.

Au départ, Ellie avait trouvé l'offre trop étrange pour être honnête et avait refusé tout net. Non seulement parce qu'ils se connaissaient à peine, mais aussi parce qu'elle était persuadée qu'il avait une idée derrière la tête.

Mais, à force de persuasion et au bout d'une grossesse à problèmes, elle avait cédé et avait même accepté que Brett assiste à l'accouchement.

Les cris de Simon à l'extérieur la ramenèrent à la réalité.

Etrangement, onze ans plus tard, elle vivait encore dans la maison de Brett…

Elle se fit couler un bain et s'y plongea, incapable d'empêcher son esprit de vagabonder.

L'heure était venue de se demander pourquoi elle n'avait pas tenté de mettre fin à cet arrangement. Pourquoi n'était-elle pas partie avant de s'habituer à cette belle propriété et cet environnement privilégié ?

A l'époque, Brett avait utilisé des arguments convaincants

et elle n'avait pas eu la force de résister à l'appel d'une vie meilleure, sans souci financier pour elle et son fils.

Il avait reçu cette maison en héritage. Elle appartenait à ses parents et il s'était juré de ne jamais la vendre. Il n'y habitait plus et il attendait de signer un contrat de recherche pour aller travailler en Afrique. Il lui avait donc fait comprendre qu'elle serait idiote de ne pas profiter de cette occasion en or. De plus, Tom avait aussi vécu plusieurs années dans cette maison, raison supplémentaire pour accepter son offre.

Après avoir analysé la situation à froid, elle avait été forcée de se rendre à l'évidence. A cause de sa grossesse difficile, elle avait dû arrêter ses études et n'avait toujours aucun diplôme en poche. Elle n'avait pas non plus d'économies et, même avec ses petits boulots à mi-temps, le prix de la nourrice aurait été supérieur à son salaire.

Malgré tout, Ellie avait eu du mal à s'expliquer la générosité de Brett envers elle et son fils. Au fil des ans, elle s'était confortée dans l'idée qu'il avait agi parce que Tom faisait pratiquement partie de sa famille et que Simon était le fils de Tom. C'était la raison la plus plausible. Mais était-ce la seule ?

3.

— Je ne comprends pas… Si Brett est là, pourquoi tu invites un homme à dîner ?

— Simon, mets la table, s'il te plaît.

— Comment s'appelle-t-il ?

— William Brooke. Il est violoniste.

— Tu veux que j'apprenne à jouer du violon ? Martie en fait une heure par jour et on dirait qu'il étrangle des chats dans son salon.

— J'ai toujours regretté de ne pas savoir jouer d'un instrument. Je ne veux pas que tu aies le même regret plus tard.

— C'est toi qui m'as interdit de jouer avec le tambour que grand-père m'a offert à Noël !

— C'était différent… J'étais sur le point de devenir sourde, dit Ellie tout en tournant la soupe.

— Maman, je suis très bien comme je suis…

— Simon, s'il te plaît, arrête. J'ai eu une journée difficile, j'ai essayé d'annuler le dîner William Brooke mais il ne répond pas… Mets le couvert, s'il te plaît. Je te prie aussi de te montrer sous ton meilleur jour…

— C'est compris. Je vais mettre le couvert. Mais n'oublie pas que je n'ai pas besoin de ces hommes pour donner un sens à ma vie !

Sur ces entrefaites, Brett Spencer entra dans la cuisine par la porte de derrière. En découvrant le rictus qui ornait ses lèvres dessinées à merveille, elle sut qu'il avait entendu la dernière phrase de Simon.

— Pas un mot ! lança-t-elle, sur la défensive.

— Je n'ai rien dit. Je joue simplement au livreur. J'ai vu que la cave était vide, alors je suis allé acheter du vin.

Quelques instants plus tard, il lui servait un verre de vin blanc bien frais.

— Merci, c'est parfait. Tant que tu y es, tu pourrais faire en sorte de me téléporter sur la Lune, rien que pour ce soir ?

— Désolé, cela ne fait pas partie de mes pouvoirs de super-héros.

— Dommage…

— Au fait, puis-je connaître le nom de ton invité mystère ?

— William Brooke.

— Tu veux rire ? Le violoniste ?

— Tu le connais ?

— Depuis des années. Et je peux t'assurer que ce n'est pas ton genre.

— Si ça ne te dérange pas, j'aimerais rester seule juge de la question.

— Il est gay.

— Quoi ? Mais c'est impossible !

— Tu l'as fait changer de bord ?

Ellie rougit jusqu'aux oreilles tout en le fusillant du regard.

— Non ! Il ne s'est rien passé entre nous mais tu dois te tromper. Sinon, je ne vois pas pourquoi il m'aurait invitée à déjeuner ou pourquoi il aurait accepté mon invitation à dîner.

— Parce qu'il apprécie ta compagnie. Mais si tu veux aller plus loin avec lui…

Ellie s'étrangla avec son vin.

— C'est bien ce que je pensais, dit Brett.

— De quoi tu te mêles, franchement ? lui lança-t-elle, l'air mauvais.

Elle finit son verre de vin d'un trait.

— Tu peux me resservir un verre, s'il te plaît ?

— Tu es sûre ?

— Je n'ai jamais été aussi sûre de ma vie. Surtout maintenant que je viens de découvrir que j'étais sur le point de me ridiculiser.

— Ellie…

Mais le téléphone sonna et Brett n'eut pas le loisir de continuer.

Quelques instants plus tard, elle raccrocha, soulagée.

— J'ai cru comprendre que Will avait un empêchement ?

— Oui. Quelle bonne nouvelle !

— Il a donné une raison précise ?

— Il a une répétition de dernière minute.

Sur ce, Simon entra dans la cuisine.

— C'était qui, au téléphone ?

— Will Brooke. Il ne viendra pas dîner.

— Super ! Alors ça veut dire qu'on va dîner rien que tous les trois ! dit le garçon avant de retourner dans le salon.

Ellie se tourna vers Brett.

— Tu sais que nous allons avoir un problème ?

— Avec Simon ?

— Oui. Ton retour lui a mis des idées en tête.

— Et alors ? J'aime assez son état d'esprit. Tu y vois un inconvénient ?

— Oui, et même plusieurs.

— Et si on y réfléchissait ? On pourrait même en parler plus tard, quand Simon sera au lit.

Mais le moment venu, alors que Simon était parti se coucher et qu'ils avaient enfin l'occasion de parler sérieusement en tête à tête, Brett se plaignit d'un mal de tête et s'excusa…

Le lendemain, inquiète de ne pas l'avoir vu se lever, Ellie alla prendre de ses nouvelles.

La chambre était plongée dans l'obscurité et tout était silencieux. Elle était sur le point de refermer la porte pour le laisser dormir lorsqu'elle entendit un faible gémissement. Elle hésita puis rentra de nouveau.

Après avoir ouvert les rideaux, elle trouva Brett à moitié endormi, très mal en point, le teint blafard et le front perlé de sueur.

Elle l'aida à s'asseoir dans le lit, tant bien que mal.

— Il faudrait appeler le médecin.

— Je suis médecin.

— Peut-être, mais…

— J'ai la grippe, dit-il avant de se rallonger et de fermer les yeux.

— Et si c'était quelque chose de plus grave ?

— J'ai vu assez de maladies graves ces dix dernières années pour faire la différence.

— Tu ne crois pas que tu devrais quand même faire une prise de sang ? demanda-t-elle, inquiète.

Il fit la grimace.

— Si tu insistes…

Avant l'arrivée du docteur, elle envoya Brett prendre une douche, changea ses draps et lui prépara une boisson chaude au citron.

Le docteur confirma le diagnostic de Brett. C'était bel et bien une grippe, accentuée par le décalage horaire et la fatigue. Il fit une prise de sang puis recommanda à Ellie de le laisser dormir le plus possible et de veiller à ce qu'il soit suffisamment hydraté.

Pendant quelques jours, Brett dormit beaucoup, mangea très peu et dut suivre les ordres d'Ellie qui faisait de son mieux pour lui offrir un environnement reposant.

Un matin, alors qu'elle l'aidait à s'asseoir dans son lit pour prendre son petit déjeuner, il laissa échapper quelques jurons bien sentis.

— Pardon ? s'exclama Ellie offusquée.

— Ce n'est pas contre toi. Je repense soudain au bagage à main que j'avais dans l'avion. Des nouvelles ?

Elle déposa le plateau-repas sur les genoux de Brett puis s'assit comme à son habitude dans le fauteuil à côté du lit.

— Non, toujours rien. Je suis désolée, j'avais complètement oublié. Tu avais des choses importantes ? La plupart des gens transportent des livres, des articles détaxés et leurs affaires de toilette.

— La plupart des gens transportent surtout des choses dont ils ne veulent pas se séparer…

— Comme quoi ? s'enquit-elle, surprise.

Au pied du lit, elle repéra le bagage qu'il avait ramené par erreur. Elle se leva puis l'ouvrit.

— Je l'ai fouillé plusieurs fois mais impossible de trouver un indice pour contacter la personne, dit-il, un peu agacé.

Elle se mit à sortir les articles un à un.

Il y avait un livre, deux magazines, une trousse de toilette, un petit chien en peluche, du parfum et un appareil photo. Dans la trousse de toilette, il y avait des produits de beauté de luxe.

— En tout cas, la femme qui était assise à côté de toi n'avait rien d'essentiel dans son sac.

— Eh bien moi, si ! J'avais un dossier de recherche très important et une clé USB où tout était sauvegardé, lança-t-il, contrarié.

Ellie résista à l'envie de le prendre dans ses bras pour lui dire que tout irait bien et qu'elle ferait tout pour retrouver son sac.

En temps normal, Brett Spencer était un roc, une forteresse à lui seul. Mais depuis quelques jours elle découvrait une nouvelle facette de sa personnalité. Il détestait être malade et il ne supportait pas d'être cloué au lit, dans l'incapacité de diriger sa propre vie.

Cette maladie l'avait aussi rapprochée de lui physiquement. En effet, à plusieurs reprises, elle avait eu l'occasion de le voir torse nu, et chaque fois elle n'avait pu s'empêcher d'admirer son corps d'apollon, façonné à merveille, musclé à la perfection.

Elle sentait que ses sentiments envers lui avaient changé, que son affection pour cet homme avait grandi. Etait-elle en danger ? Devait-elle se tenir sur ses gardes ?

Se rasseyant dans le fauteuil, elle s'éclaircit la voix.

— Je vais appeler la compagnie aérienne. Tu as le nom de la personne qui était assise à côté de toi ?

— Kylie Jones. Il me faut surtout son adresse.

Il inspecta le plateau. Elle lui avait cuisiné une omelette aux herbes, servie avec un verre de jus d'orange fraîchement pressé et un pot de café. Pour la première fois depuis des jours, il avait faim.

Il soupira.

— Ellie, je voudrais te remercier pour tout ce que tu fais pour moi. Et désolé pour les insultes, elles ne t'étaient pas destinées.

— Je t'en prie, ce n'est rien, murmura-t-elle, dissimulant la vague de frissons qui traversait son corps alors qu'il lui adressait un sourire des plus charmeurs.

— Je vais essayer de les contacter maintenant. Ensuite, je dois vraiment aller travailler. J'ai réussi à m'organiser ces derniers jours, mais aujourd'hui ils ont besoin de moi. Tu vas t'en sortir ?

Il lui prit la main.

— Bien sûr, ne t'inquiète pas. Merci pour tout, tu es formidable.

Alors qu'elle se préparait à aller au travail, Ellie se souvint du contact de la main virile de Brett sur sa peau. Si elle continuait sur cette voie-là, elle courait à la catastrophe…

Quand Ellie rentra, en fin de journée, elle prépara un plateau avec du thé et du gâteau et l'apporta dans la chambre du malade. Elle avait enquêté auprès de la compagnie aérienne et voulait faire le point avec Brett.

— Décidément, il faut avoir une volonté de fer pour faire aboutir un appel ! Soit ils te mettent en attente, soit ils te disent qu'ils vont rappeler mais ne rappellent jamais. Mais voilà le résultat des courses : ils n'ont pas le droit de divulguer les données personnelles des passagers mais ils vont faire leur possible pour contacter cette personne eux-mêmes. Cela dit, ils sont très étonnés car personne d'autre n'a déposé une déclaration de perte de bagage.

Elle déposa une tasse de thé et un morceau de gâteau sur sa table de chevet.

— Comment te sens-tu ?

— Tu parles de ma santé ou de mon moral ?

— Je crois que question moral, je peux deviner où tu en es. Parle-moi de ta santé.

Il s'assit dans le lit et prit le morceau de gâteau.

— Je me sens beaucoup mieux. Merci. Et Simon, comment va-t-il ?

— Il voulait venir te voir mais je lui ai demandé de garder ses distances pendant quelques jours.

— Tu as bien fait.

Brett but son thé puis se rallongea, observant Ellie d'un air pensif.

Elle n'avait pas pris la peine de se changer depuis son retour du travail. Vêtue d'une blouse blanche, où était accroché son badge, d'une jupe courte bleu marine et de chaussures assorties à petits talons, elle paraissait très chic et très professionnelle.

— Je comprends pourquoi ils te réclamaient, au travail. Tu es très attentionnée et très consciencieuse. Je trouve que tu t'es occupée de moi à merveille. Tu aurais fait une infirmière hors pair.

— J'ai l'impression que tu te moques de moi. Je n'ai rien fait hormis t'apporter des boissons chaudes.

— Je ne me moque pas du tout de toi. Et la bonne nouvelle, c'est que je compte être sur pied demain.

— Je sais que c'est toi le médecin, mais fais attention de ne pas brusquer les choses.

— Je m'ennuie.

— Je pourrais t'apporter des livres, des magazines…

— Je me sens seul.

Leurs regards se nouèrent.

— Ah, je vois. Dans ce cas, après dîner, si tu as envie de te lever, tu pourrais me tenir compagnie pendant que je termine un cerf-volant. Simon va dormir chez Martie.

— Parfait.

— Alors à tout à l'heure…

Une fois Ellie partie, il songea à sa maison d'enfance. A présent, c'était davantage celle d'Ellie et, grâce à son organisation impeccable, tout y respirait le bonheur de vivre. A l'intérieur comme à l'extérieur.

Son esprit passa d'une idée à l'autre puis se heurta à la question qui le hantait : pourquoi Ellie était-elle encore installée chez lui alors qu'elle avait accepté son offre avec autant de réticence onze ans auparavant ?

Le dîner fut simple et succulent. Saumon grillé, pain italien aux olives, salade de roquette et oignons rouges caramélisés. Ellie était un véritable cordon-bleu.

Le repas terminé, ils s'installèrent sous la véranda.

Il la regarda travailler avec minutie, émerveillé. Elle portait une petite robe d'été jaune qui lui allait à merveille, ainsi qu'un grand tablier. Comme elle avait relevé ses cheveux pour l'occasion, il put admirer la finesse de sa nuque ainsi dégagée.

Après un court moment de contemplation, il lui demanda comment elle était devenue une experte du cerf-volant.

— C'est mon père qui m'a tout appris. Quand j'étais petite, on en fabriquait, tous les deux.

— Ce sont des bons souvenirs ?

— Oui. J'ai perdu ma mère à l'âge de dix ans. Puis ma

belle-mère est entrée dans ma vie et nous avons toujours été en conflit, elle et moi. Ce n'est que lorsque j'ai eu Simon que j'ai compris pourquoi elle avait été jalouse de l'attention que mon père me portait ou des instants complices que nous partagions. Elle ne pouvait pas avoir d'enfant.

Ellie resta pensive quelques instants avant de se replonger dans son travail.

Brett comprenait mieux, maintenant, le manque d'assurance et la vulnérabilité émanant d'Ellie, les premières fois où il l'avait rencontrée.

— Parle-moi de ton travail, dit-il, désireux d'apprendre à la connaître.

Il fut satisfait de constater que sa question avait fait naître un grand sourire sur le visage d'Ellie.

Elle s'anima, lui racontant avec emphase son travail et le succès qu'elle rencontrait avec les enfants.

— C'était indéniablement ta vocation et tu sembles avoir le contact facile avec les enfants.

— Toi aussi.

— Qu'est-ce qui te fait dire ça ?

— Le fait que Simon t'ait aimé tout de suite, même en pensant que tu étais mon nouvel ami.

— Alors nous avons au moins ça en commun !

Elle lui renvoya un regard interrogateur, mais il se contenta de se lever et de lui souhaiter bonne nuit.

Un soir de la semaine suivante, assise sur une chaise longue au bord de la piscine, Ellie sirotait une boisson fraîche tout en se demandant ce que l'avenir lui réservait.

Octobre était un mois merveilleux à Brisbane. Le jacaranda au fond du jardin était en fleur, le tulipier du Gabon resplendissait et, près de la piscine, on pouvait admirer les belles inflorescences de l'hibiscus.

Elle ôta ses chaussures et s'allongea.

Soudain, sans le voir ni l'avoir entendu s'approcher, elle sentit la présence de Brett.

— Alors, quoi de neuf, docteur?

— J'ai essayé une nouvelle fois de retrouver mon bagage, mais toujours rien, dit-il en prenant place à ses côtés.

Après quelques instants de silence, il se tourna vers elle.

— Alors, qu'en penses-tu, Ellie?

— De quoi parles-tu?

— J'aimerais maintenir le statu quo, entre nous.

— Je crois que ce sera difficile.

— Pourquoi?

Elle lui lança un regard ironique.

— Pourquoi? J'ai déjà assez de mal à faire accepter à Simon les hommes avec qui je sors! Si tu entres dans notre vie, ce sera peine perdue.

— As-tu jamais été amoureuse de ces hommes? N'était-ce pas tout simplement pour combler un vide dans la vie de Simon?

Elle réfléchit quelques instants avant de répondre.

— Non, je n'ai jamais été amoureuse de ces hommes. Je crois que je ne pourrai jamais plus éprouver ce sentiment profond.

— Ne dis pas ça. Il se peut qu'un jour l'amour te prenne par surprise, affirma-t-il en lui adressant l'un de ses plus beaux sourires.

Elle aurait aimé qu'il ne produise pas sur elle un effet aussi ravageur et déstabilisant.

— Brett, il y a une chose que je ne comprends pas: qu'as-tu à gagner dans cette histoire?

A présent, c'était à lui de remettre de l'ordre dans ses idées.

— Je dois avouer que je suis un peu perdu.

— Tu regrettes déjà d'être rentré?

Il eut un moment d'hésitation.

— Non. Disons que la transition est difficile. Je dois prendre le temps de me réadapter. Mais pour répondre à ta question, je ne sais pas ce que j'ai à y gagner. Tout ce que je sais, c'est que je me sens bien ici, avec toi et Simon.

Flattée du compliment, elle s'efforça néanmoins de ne pas perdre le fil de la conversation.

— Et qu'en est-il de nos vies amoureuses ? Enfin, parlons de la tienne…

— Jusqu'à présent, le mariage n'était pas compatible avec ma vie professionnelle.

— Certes, mais tu pourrais facilement rencontrer quelqu'un qui travaille dans le même domaine que toi…

Elle s'arrêta. Quelqu'un marchait dans l'allée.

— Qui est-ce ? s'enquit-il.

— Dan Dawson. Le fils des voisins. Il travaille sur une plate-forme pétrolière.

Elle lui fit signe d'avancer.

— Dan, viens… Tu te souviens de Brett Spencer ?

Agé de vingt-six ans, Dan s'était lié d'amitié avec Ellie et venait souvent lui rendre visite quand il était en vacances chez ses parents.

Au bout de quelques instants, Dan se leva et demanda à parler en tête à tête à Brett.

Ne résistant pas à l'appel de la curiosité, Ellie décida d'espionner leur conversation en s'approchant de la cuisine sans se faire remarquer.

Elle arriva à temps pour entendre Dan dire :

— Je veille sur elle quand je rentre chez mes parents. D'ailleurs, je ne lui ai pas dit, mais elle occupe une place très importante dans mon cœur. Mon contrat va bientôt toucher à sa fin et, quand je serai de retour ici, je compte la demander en mariage. Avec Simon qui grandit, elle a besoin d'un homme à la maison…

Bouche bée, Ellie retourna rapidement s'asseoir au bord de la piscine.

*
* *

Quelques instants plus tard, elle entendit les deux hommes sortir de la cuisine. Dan prit congé tandis que Brett venait la rejoindre.

— Je n'en crois pas mes oreilles, dit-elle dès qu'il fut à sa hauteur.

— Je me demandais si tu avais eu l'audace d'écouter notre conversation privée, la taquina-t-il.

— Je n'ai pas pu résister. C'est affreux !

— Pourquoi ? C'est un homme bien.

— Quand j'ai emménagé ici, il était encore au lycée !

— Il n'a que quatre ans de moins que toi et Simon l'aime bien.

— Mais il ne m'a jamais rien dit ! Quelle situation embarrassante !

— Voilà un honnête homme vraiment amoureux de toi.

— Le problème, c'est que cela n'est pas réciproque.

— Cela dit, il a raison. Simon grandit et tu as besoin d'aide.

— Pour l'instant, laissons l'éducation de Simon de côté et revenons-en à Dan. Que lui as-tu conseillé de faire ?

— Je lui ai dit que moi aussi je voulais t'épouser, donc que le meilleur gagne !

Ellie ferma les yeux, incrédule.

Brett l'inspecta, se demandant depuis combien de temps elle occupait ses pensées et pourquoi le bref échange avec Dan l'avait dérouté à ce point.

Puis elle ouvrit subitement les yeux, le regard accusateur.

— Pour toi, tout ceci est un jeu, n'est-ce pas ?

— Je ne dirais pas que c'est un jeu, mais je ne nierais pas que j'ai éprouvé le besoin de marquer mon territoire. Les hommes sont incorrigibles.

— Nous ne sommes pas là pour faire le procès de tous les hommes de la planète. Parlons de toi. Comptes-tu t'installer définitivement à Brisbane ou penses-tu repartir d'ici à quelques mois, quelques années ?

— Je ne sais pas.

Ellie scruta l'horizon, le regard perdu.

— Tu ne m'as jamais trouvée assez bien pour Tom, avoue, dit-elle de but en blanc après s'être tournée vers lui.

— Tu te trompes, je ne me suis jamais dit ça. Mais je sentais que tu manquais de confiance en toi et j'avais peur que tu attendes trop de ta relation avec Tom.

— On ne saura jamais ce qu'il aurait fait de moi.

— Pardon, je n'aurais pas dû dire ça.

— Ce n'est pas grave, je me suis déjà posé la question.

— Et si on faisait une période d'essai ?

Elle le regarda, désemparée.

— C'est pour ça que tu es rentré ? Pour me proposer un rapprochement de convenance ?

Tout à coup, il eut l'impression de revenir sur terre.

— Non. Je n'avais pas de plan avant de venir ici. Comment aurais-je pu ? Je ne connaissais rien de ta vie. Mais maintenant que je t'ai revue, que j'ai revu Simon, je me dis que c'est une bonne idée, et la meilleure chose que je puisse faire pour rendre hommage à Tom. Je ne veux pas insinuer que tu ne t'occupes pas bien de Simon, au contraire, mais les choses vont se compliquer et tu auras vite besoin d'un homme à tes côtés.

Elle le scruta pendant un très long moment.

— J'y réfléchirai, promit-elle avant de se lever, visiblement contrariée.

Il se leva à son tour et vint se placer en face d'elle, tout en la sondant.

— T'ai-je offensée ?

— Non mais je m'aperçois que jamais je ne pourrai te rendre tout ce que tu as fait pour moi et mon fils. Je me suis trop imposée dans ta vie et c'est pourquoi je dois réfléchir à tout ça.

Avant de rejoindre sa chambre, elle passa voir Simon. Comme d'habitude, il s'était endormi avec la lumière. Elle l'observa avec tendresse. Etait-ce parce qu'elle vivait au quotidien avec lui qu'elle ne voyait pas la ressemblance avec Tom ? Ou Tom s'était-il effacé de sa mémoire ?

Un peu perdue, elle éteignit la lumière puis referma la porte en silence avant de regagner sa chambre.

Une fois en pyjama, elle se mit à gamberger.

Elle avait menti à Brett. Sa proposition l'avait réellement offensée. Il n'avait parlé que du bien-être de Simon. Et elle, dans tout ça ?

A son insu, ses sentiments pour Brett s'étaient précisés, et à présent elle ne supportait pas l'idée qu'il ne puisse pas s'intéresser à elle en tant que femme. Jamais aucun autre homme n'avait produit un tel effet sur elle. Même pas Tom.

Mais comment était-ce possible ? Il n'était rentré que depuis deux semaines ! Depuis quand ces sentiments étaient-ils enfouis en elle ? Depuis quand était-elle amoureuse de Brett Spencer sans même le savoir ?

La réponse lui sauta aux yeux, limpide : depuis qu'il l'avait secourue à côté d'un parcmètre...

Etait-ce pour cela qu'elle ne se l'était jamais avoué, et que jamais elle ne pourrait l'avouer à quiconque ? Par peur d'être infidèle à la mémoire de Tom ?

Si seulement Brett était resté en Afrique !

Si seulement elle avait quitté la maison il y a des années !

Elle se coucha, en proie à des émotions contradictoires. Pire, elle fut bientôt plongée dans la morosité la plus profonde en imaginant que Brett pourrait ramener des maîtresses dans cette maison tout en jouant le rôle de père auprès de Simon.

Non, c'était impossible..

Et que ferait-elle ? Se refuserait-elle à tout autre homme ? Serait-elle à jamais plongée dans les affres de la souffrance amoureuse ?

Oh ! non ! C'était trop horrible à envisager.

*
* *

Le lendemain matin, Ellie eut du mal à se lever et Simon faillit être en retard à l'école. Par chance, elle ne travaillait pas ce jour-là.

Quelqu'un sonna à la porte alors qu'elle s'apprêtait à boire un café pour se mettre les idées au clair.

L'espace d'un instant, elle paniqua, pensant que c'était Dan qui venait lui déclarer sa flamme, puis se rassura en se disant qu'il entrait toujours par la porte de la cuisine.

En revanche, elle ne s'attendait pas à voir une jeune femme blonde aux allures de top model vêtue d'un haut moulant rose et d'un pantalon de cuir noir.

— Bonjour. Puis-je vous aider ?

— J'espère. Je suis bien chez Brett Spencer ?

Ellie vit qu'elle tenait un sac ressemblant étrangement au bagage à main dans la chambre de Brett.

— Oh ! vous êtes de la compagnie aérienne, c'est ça ? Quelle bonne nouvelle ! dit-elle en posant le linge qu'elle tenait dans les bras.

— Je ne suis pas de la compagnie aérienne. J'ai voyagé à côté de Brett et nous avons passé une nuit très agréable dans l'avion. Je me suis trompée en prenant mon sac. Heureusement qu'il y a une adresse dans celui de Brett car dans le mien il n'y en a pas. J'aimerais lui remettre en personne et lui expliquer que je n'ai pas pu venir avant car j'ai eu la grippe.

— Alors vous devez être Kylie Jones.

— Il vous a parlé de moi ? Super, car j'ai une ou deux choses à lui montrer.

— Comme quoi ? s'enquit Ellie, stupéfaite.

— Oh ! il ne pense pas que je puisse être la femme de sa vie, mais j'ai décidé de lui prouver le contraire. Et je m'appelle Chantal. Vous devez être la femme de ménage ?

Choquée, Ellie crut vaciller.

Vêtue d'un vieux jean, d'un T-shirt passé et de vieilles sandales qui lui servaient de chaussons, elle était totalement anti-glamour, comparée à Chantal.

— Disons que je fais le ménage, oui. Brett n'est pas encore levé…

— Si, je suis levé. Chantal, ce n'était pas la peine de te déplacer.

Ellie se retourna pour découvrir Brett à peine sorti du lit, les cheveux hirsutes, la chemise hors du pantalon et les pieds nus. Il n'avait pas l'air de très bonne humeur mais il était terriblement sexy.

Chantal fit comme si Ellie n'existait plus et s'adressa à lui d'un ton complice et sensuel.

— Oh ! mais si, je tenais à me déplacer. Tu m'offres du café ? Je suis venue de loin, tu sais. Je voulais te rendre ton sac plus tôt, mais j'ai eu la grippe.

Sans savoir pourquoi, Ellie invita Chantal à entrer, ignorant le regard désapprobateur de Brett.

Brett ouvrit tout de suite son sac. Etant donné sa réaction, Ellie comprit que rien ne manquait. Alors qu'elle était sur le point de leur proposer un café, il l'interrompit dans sa lancée.

— Au fait, Chantal, je te présente Ellie. Ce n'est pas la femme de ménage. Nous vivons ensemble.

Ellie n'était pas très heureuse de la tournure que prenaient des événements. Elle ignorait ce qui s'était passé entre eux, mais il n'était pas question qu'il se serve d'elle pour se débarrasser de Chantal !

— Nous ne vivons pas vraiment ensemble, précisa-t-elle, mais nous partageons le même toit. Brett vous expliquera pendant que je prépare le café.

— Non, Ellie, assieds-toi. Toi aussi, Chantal, ordonna-t-il.

Etonnées par son ton, les deux femmes obéirent sans protester.

— Chantal, ai-je raison de soupçonner que tu as fait exprès de prendre mon sac afin d'être sûre de pouvoir reprendre contact avec moi ?

Chantal prit un air contrit.

— Il faut avouer que c'était rusé de ma part. Je ne savais

pas qu'il y aurait une adresse à l'intérieur, mais au moins ça m'aurait permis de contacter la compagnie aérienne.

— Vous avez fait exprès ? s'enquit Ellie, l'esprit confus.

— Ellie, si le mieux que tu puisses faire avec ce type c'est de partager sa maison, il va falloir que tu fasses preuve d'un peu plus d'imagination, déclara-t-elle avec aplomb. Quant à toi, Brett, j'ai décidé de suivre ton conseil et de ne pas juger les gens sur les apparences. J'ai pris un appartement à Brisbane et j'aimerais vraiment qu'on apprenne à se connaître, toi et moi. C'est tout ce que j'avais à dire. Je vous laisse. Inutile de me raccompagner...

Sur ces entrefaites, elle disparut, laissant Brett et Ellie interdits.

Après le départ de Chantal, Ellie et Brett s'installèrent dans la cuisine pour boire une tasse de café et discuter de cette visite impromptue.

— Bon, je veux bien croire que tu n'avais aucune intention de continuer ce que vous aviez commencé dans l'avion. Mais tu lui as forcément fait miroiter quelque chose et tu ne sembles éprouver aucun remords

— Ellie, je n'ai fait que lui parler et répondre à ses questions. Et je lui ai donné un conseil.

— Visiblement, elle l'a pris très au sérieux. Tu es sûr que tu dis toute la vérité et rien que la vérité ? Tu n'as pas hésité un seul instant à ajouter une danseuse topless à ton palmarès ? lança-t-elle sur un ton sarcastique.

— Non, il était hors de question pour moi de me lancer dans une relation avec Chantal. Mais c'est une fille bien, tu ne trouves pas ?

— Si, d'ailleurs, elle me plaît beaucoup. J'ai été impressionnée par la façon dont elle a géré le revirement de situation.

— Quand on est danseuse topless, je crois qu'on peut gérer à peu près tout revirement de situation.

— Que vas-tu faire avec elle ?

— Rien. Et toi, que vas-tu faire avec Dan ?

Elle se renfrogna.

— Essaies-tu d'insinuer qu'il y a des similarités entre les deux cas ? Je n'ai jamais rien fait miroiter à Dan.

— Je trouve que ton jugement est trop catégorique pour quelqu'un qui n'était pas dans l'avion au moment de la scène.

Ellie marmonna quelque chose d'incompréhensible puis se leva d'un bond.

— Puisque j'ai été prise pour la femme de ménage, autant que je m'y mette tout de suite !

— Je dois aller travailler donc je ne peux pas t'aider, mais je trouve que la maison est propre et que tu devrais oublier le ménage, dit-il en lui effleurant le menton du revers de la main.

Quelle réplique typique d'un homme ! Tout en se lançant corps et âme dans les corvées ménagères, elle tenta à plusieurs reprises, et en vain, d'imaginer Chantal en train de récurer un évier ou de passer la serpillière.

Puis pour ajouter à son désarroi, Dan Dawson vint lui rendre visite en fin de journée.

Elle le trouva devant la porte de la cuisine, hésitant à passer le seuil.

— Ellie, je te dérange ?

— Non, entre. Assieds-toi.

Dan préféra rester debout et se lança dans un long monologue qui contenait une partie des informations divulguées la veille à Brett.

Ellie se laissa tomber sur une chaise et ferma les yeux. Quand elle les rouvrit les yeux, elle se trouvait toujours dans sa cuisine, en face de Dan. Elle ne supportait pas de voir cette lueur d'espoir animer ses yeux bleus.

— Dan, c'est gentil, je suis flattée, mais je suis trop âgée pour toi.

— Mais non… Je préfère les femmes mûres.

— J'ignorais tout de tes sentiments.

— J'aime être discret quand il s'agit d'affaires de cœur. Les gens croient toujours que les hommes qui travaillent sur des plates-formes pétrolières n'ont aucune délicatesse, mais c'est faux.

— Dan, ne dis pas ça. Je n'ai jamais pensé que tu manquais de délicatesse. Au contraire. Et j'apprécie grandement notre amitié. Mais de mon côté, ça ne va pas plus loin.

— Est-ce à cause de Brett ?

— Non ! Pas du tout !

Elle comprit qu'elle venait de commettre une erreur tactique en voyant qu'il reprenait espoir.

— Tu as besoin d'un peu de temps pour réfléchir ?

— Non, merci, je n'ai pas besoin d'y réfléchir. S'il te plaît, ne quitte pas ton travail pour moi.

— Ne t'inquiète pas pour ça. J'ai de belles économies et je pourrais vous mettre à l'abri du besoin, toi et Simon. Alors promets-moi d'y songer…

Sur ces entrefaites, Simon entra dans la cuisine.

— Dan, super de te voir ! Tu veux venir essayer le nouveau jeu vidéo que mon grand-père m'a envoyé ?

4.

Plus tard dans la même journée, Ellie était recroquevillée sur le canapé du salon quand Brett rentra après avoir dîné en ville.

— Tout va bien ? s'enquit-il sur un ton inquiet.

— J'ai l'impression d'avoir perdu le contrôle de ma vie, si tu veux tout savoir.

Il lui adressa un sourire tendre et encourageant.

— Raconte-moi.

— J'ai reçu une demande en mariage.

— Dan est passé te voir ?

— Oui.

— Et tu as réussi à lui faire comprendre que ce n'était pas ce que tu voulais ?

— J'ai essayé mais il ne voulait rien entendre. Je lui ai même dit que j'étais trop âgée pour lui.

— Et qu'a-t-il répondu ?

— Qu'il préférait les femmes mûres.

— Pourquoi ne lui as-tu pas dit la vérité ?

— C'est ce que j'ai fait mais il a répliqué que je devais réfléchir.

— Franchement, la meilleure chose à faire est de le repousser afin de ne pas le laisser espérer.

— C'est ce que j'ai tenté de faire mais c'est comme si je n'avais rien dit. J'imagine qu'il t'est arrivé la même chose avec Chantal Jones ?

— Si on veut. Je lui ai dit sans détour que je n'étais

43

pas l'homme idéal pour elle mais cela ne l'a pas empêchée d'insister.

— Eh bien, ça prouve que Dan Dawson est aussi borné que Mlle Jones. Oh ! je n'en peux plus, je vais me coucher.

— Non, attends-moi, j'arrive, dit-il avant de disparaître dans la cuisine.

Quelques instants plus tard, il revint avec un verre de vin pour elle et un brandy pour lui.

Ils burent en silence.

— As-tu envie de vivre une histoire d'amour, Ellie ?

Elle manqua s'étrangler en buvant une gorgée de vin et ne put s'empêcher de lui en vouloir de cette question déplacée.

— Je ne sais pas, mais aujourd'hui j'en ai assez. Ce matin, Chantal m'a prise pour une femme de ménage ; ensuite, Dan est venu me demander en mariage mais, quand Simon est rentré de l'école, il est parti jouer aux jeux vidéo avec lui ! Mon amour-propre est au plus bas…

— Je te comprends.

Le silence s'installa entre eux et elle sentit qu'il la déshabillait du regard.

— Pendant ma maladie, j'ai eu envie à plusieurs reprises de t'attirer dans mon lit, avoua-t-il, sans préambule.

— Comment ? s'exclama-t-elle, ahurie.

— Depuis, je n'arrive pas à m'ôter cette idée de la tête, ajouta-t-il en la prenant par la taille.

Ellie n'arrivait pas à parler.

— Et ton parfum m'enivre au plus haut point…

— Je ne mets pas de parfum ! Cela me fait éternuer.

— Justement, c'est ce qui rend ton odeur encore plus fraîche, plus pure. Et j'adore tes cheveux.

Elle sentit sa respiration sur son front.

— Donc tu vois, tu as deux ardents prétendants.

— Brett, si tu fais ça pour me remonter le moral, ce n'est pas la peine…

44

— Pas du tout, dit-il en faisant glisser ses mains vers ses seins, observant la moindre de ses réactions.

Elle trembla à l'idée qu'il puisse l'emporter dans sa chambre et lui faire l'amour. Ses seins commençaient à se raidir sous sa chemise de nuit. C'était si bon de sentir ses mains la caresser, de fondre de désir à son contact, de se laisser aller contre lui…

La gorge sèche, elle tenta de résister à cet assaut charnel.

Mais Brett Spencer était un adversaire impitoyable.

Alors qu'il lui titillait les tétons, un courant chaud et sensuel se répandit dans ses veines et elle ne put retenir un gémissement de plaisir.

A cet instant, il s'empara de sa bouche pour l'embrasser, lui montrant à quel point il était sensible à ses charmes.

Lorsqu'ils s'arrachèrent enfin l'un à l'autre, son cœur battait à tout rompre. Elle se sentait revivre grâce à Brett et aux frissons qu'elle éprouvait dans ses bras. Elle n'était pas rassasiée, loin de là. Elle le désirait follement et, partout où ses mains se posaient, elle sentait un brasier charnel prendre vie. Et son corps en redemandait. Aux abois, elle brûlait de s'offrir à lui, de capituler. Il l'avait embrassée sur la bouche mais aussi dans la nuque et à la naissance de ses seins, lui montrant à quel point il était capable de la rendre folle de désir pour lui.

Soudain, elle entendit la porte de la chambre de Simon s'ouvrir et son instinct maternel reprit aussitôt le dessus. Le temps qu'il les rejoigne dans le salon, elle était de nouveau assise sur le canapé, comme si de rien n'était.

— Quoi de neuf ? s'enquit le garçon, les yeux ensommeillés.

— Rien, nous discutions. Tu n'arrives pas à dormir ?

— J'ai rêvé de skate-board et je me suis réveillé. Maman, j'aimerais bien en avoir un, tu sais.

Elle n'eut pas le temps de répondre que Brett la devança.

— Tu pourrais te l'acheter avec ton argent de poche.

— Mais ça va prendre des années !

— Alors tu devras faire plus de choses dans la maison. Tu pourrais laver ma voiture, par exemple.

— Et tu pourrais m'apprendre à conduire ?

— Pas question ! intervint Ellie.

— Ta maman a raison, tu es trop jeune. Mais je te promets de t'aider pour le skate-board.

— Bon, alors je crois que je vais pouvoir me rendormir.

Ellie attendit que Simon soit retourné dans sa chambre pour reprendre la parole.

— Tu aurais pu me consulter avant de lui faire une promesse pareille. Je ne sais toujours pas si j'ai envie qu'il ait un skate-board.

— Tu ne peux pas l'enfermer dans une bulle, tout de même !

— Il y a une différence entre l'enfermer dans une bulle et lui permettre d'aller se fracasser le crâne.

— Il fait déjà du vélo.

— Je sais, mais les routes sont calmes, ce n'est pas dangereux. Le skate-board, c'est autre chose.

Soudain, le silence retomba entre eux.

Sous son regard, elle sentit ses joues s'empourprer, n'osant pas repenser au baiser qu'ils avaient échangé avant l'arrivée de Simon.

— Ellie ?

— Je ne sais pas ce qui m'a pris. Peut-on essayer de tout oublier ?

— Comment ça ? Pourquoi ? Y a-t-il eu quelqu'un de sérieux dans ta vie depuis Tom ?

— Non.

— Personne qui t'ait fait vivre un moment comme celui que nous venons de partager ?

Elle rougit davantage mais tenta de se maîtriser.

— Non. Raison de plus pour ne pas…

— Prendre ça au sérieux ? acheva-t-il d'un ton sec.

— Tu sais, il y a quelques jours, je me suis aperçu

que j'avais trente ans, que j'étais célibataire et en manque d'amour.

— Donc, n'importe quel homme aurait pu produire cet effet sur toi ?

— Et toi ? N'importe quelle femme aurait pu produire cet effet sur toi, après ton retour d'Afrique. Chantal ou moi, ça ne fait aucune différence.

— Tu te trompes ! Je ne ressens rien pour Chantal ! J'ai très envie de toi mais tu sembles m'accuser de vouloir profiter de toi parce que tu te sens vulnérable, en ce moment. Je vois les choses différemment et j'ai l'impression que tu me caches quelque chose.

Elle se leva, hors d'elle.

— C'est vraiment une logique étrange !

— Pas tant que ça, si tu y réfléchis.

— Si quelqu'un me demande encore une fois de réfléchir, je vais craquer…

Malheureusement, il lui fut impossible de ne pas réfléchir.

Le seul point positif, les jours suivants, fut l'absence de Brett, qui lui évita de penser sans cesse à ce qui s'était passé entre eux. Trop occupé par la création du nouveau laboratoire, celui-ci était resté dans son pied-à-terre à Brisbane.

Elle avait dû travailler trois jours d'affilée et préparer les affaires de Simon qui partait en voyage scolaire pendant cinq jours. C'était la première fois qu'elle se séparait de lui aussi longtemps et elle eut un pincement au cœur en le voyant partir.

En son absence, elle en profita pour faire des heures supplémentaires. Ce n'était pas tant l'aspect financier qui la motivait mais davantage l'idée que moins elle pensait à Brett, mieux elle se portait.

Elle avait mis les choses au point avec Dan en allant

le voir un soir après le travail. Il avait été très déçu et visiblement blessé mais ils avaient décidé de rester amis.

Mais en ce qui concernait Brett, son esprit tournait en boucle, repassant sans cesse la scène de leur étreinte. Dès qu'il était dans la maison, elle était nerveuse. C'était une sensation très désagréable.

Un soir, un cerf-volant à l'essai s'était retrouvé coincé dans un arbre du jardin. L'échelle sur laquelle elle était montée ne lui permettait pas de l'atteindre et elle s'était sentie mal à l'aise quand Brett était venu l'aider.

Le voir grimper avec agilité et réussir à débloquer le cerf-volant grâce à des gestes fluides avait éveillé en elle des sensations similaires à celles qu'elle avait éprouvées dans ses bras, quelques jours auparavant.

Au moment de le remercier, elle avait bafouillé, se sentant gauche et naïve telle une jeune fille découvrant soudain sa féminité…

Le vendredi soir, avant que Brett ne rentre à la maison, Chantal passa à l'improviste avec d'une bouteille de champagne et un bouquet de fleurs. Quand Ellie lui apprit que Brett n'était pas encore rentré, elle suggéra de commencer les festivités sans lui.

Il faisait beau, elle avait eu une semaine chargée et l'idée de se détendre un peu lui plut immédiatement. Sans plus tarder, elles s'installèrent sur la terrasse.

— Comment va Brett ?

— Bien, j'imagine.

— Y a-t-il des femmes qui s'intéressent à lui, en ce moment ?

— Non. Du moins, pas que je sache.

Ellie, gênée de la tournure que prenait leur conversation, tenta de changer de sujet.

— Comment se passe ta nouvelle revue ?

— Ce n'est pas comme à Sun City, mais je n'ai pas à

me plaindre. Et toi ? Raconte-moi un peu comment tu en es venue à partager une maison avec Brett.

— C'est une longue histoire. Mais si tu as envie, je peux te faire un résumé.

— Je t'écoute…

A la fin du récit, Chantal leva son verre.

— Quelle belle histoire ! Je suis impressionnée. Où est ton fils ?

— En voyage de classe.

Chantal prit soudain un air songeur.

— Ellie, tu penses que j'ai mes chances avec Brett ?

— Pour tout te dire, je n'en ai aucune idée. Oh ! fit-elle en voyant Dan arriver dans l'allée.

— Quoi ?

— Cet homme m'a récemment demandée en mariage et j'ai refusé. L'ambiance risque d'être un peu tendue.

Chantal se pencha vers elle et murmura sur le ton de la confidence :

— J'ai une idée… Si tu m'invites à dîner, je m'occupe de lui.

— Vraiment ?

— Fais-moi confiance, lui dit Chantal en lui adressant un clin d'œil complice.

Une demi-heure plus tard, Brett trouvait un joyeux trio en train de boire du champagne sur la terrasse.

— Ah, te voilà ! Parfait. Je vais aller préparer le dîner pendant que tu fais la conversation à nos invités, lança Ellie.

— Chantal, Dan… Veuillez m'excuser, j'aimerais d'abord aller me laver les mains, dit-il en lui emboîtant le pas.

— Qu'est-ce que c'est que cette histoire ? demanda-t-il dès qu'ils furent dans la cuisine.

— Ils sont passés à l'improviste et je les ai invités à dîner, répondit Ellie le plus innocemment du monde.

— Es-tu ivre ? s'enquit-il en inspectant son petit short

rose et son haut moulant, avant de plonger son regard dans les profondeurs dorées de ses yeux pétillants.

— Non, pas du tout. Mais je crois que je vais arrêter le champagne. Grâce à Chantal, je passe un bon moment. Sa mission est de neutraliser Dan.

— C'est-à-dire ?

— Si tu vas leur parler, tu verras ce que je veux dire. C'est très drôle à observer. Les hommes sont tellement prévisibles ! On ne les changera pas…

— Ellie !

Tout à coup, elle sembla revenir sur terre.

— Brett, ne commence pas à me faire la morale ou à me dire ce que je devrais ou ne devrais pas faire. Je ne suis vraiment pas d'humeur. Chantal est ton problème, pas le mien. En plus, je dois dire que je la trouve très sympathique.

— Et Dan ?

— Dan, c'est de l'histoire ancienne. Maintenant, s'il te plaît, pourrais-tu aller les rejoindre et me laisser préparer à manger ? Sinon, je crois que je pourrais faire une bêtise.

— Est-ce à cause de ce qui s'est passé l'autre soir ?

— Non. Simon me manque, je suis épuisée, j'ai trop travaillé et j'ai eu envie de me détendre en prenant une coupe de champagne.

— Disons plutôt trois ou quatre.

— Si je veux, je peux en boire plus encore !

— Je vais aller assurer la permanence auprès de nos hôtes, répondit-il simplement en se dirigeant vers la terrasse.

Par chance, Ellie avait un plat de bœuf sauté avec du riz au congélateur. Pendant qu'il réchauffait, elle prépara une salade, mit la table et alluma des bougies avant d'appeler ses convives à venir prendre place.

Lorsqu'ils s'installèrent, Dan se mit debout derrière la chaise de Chantal et attendit qu'elle soit installée avant de s'asseoir à son tour. Il était facile de déceler l'intérêt tout particulier que Dan vouait à Chantal. Ce qui était loin d'être étonnant car elle portait un haut-ultramoulant, un pantalon léopard collant et des sandales dorées aux talons vertigineux. Elle n'avait eu à fournir aucun effort pour attirer Dan dans ses filets.

Quant à Brett, elle n'arrivait pas à savoir ce qu'il pensait de la situation. Dans tous les cas, il jouait à l'hôte parfait.

Chantal continua à se montrer sous son meilleur jour, chaleureuse, enjouée, drôle, terriblement attirante. Elle aida même à débarrasser après le repas.

A la fin de la soirée, Brett suggéra que Dan escorte Chantal jusqu'à sa voiture. Ellie fut étonnée de ce revirement.

Une fois la porte refermée, elle se laissa tomber dans un fauteuil, tandis que Brett venait la rejoindre et lui tendait un brandy.

— N'oublie pas que c'était ton idée.

— Je ne me plains pas. Je suis même contente que Dan ne me poursuive plus de ses assiduités.

Il s'assit à son tour, un verre de brandy à la main.

— Je suis d'accord avec toi, c'est agréable de ne plus se sentir courtisé — voire harcelé, ajouta-t-il sur un ton ironique.

— Oh ! moi, je suis tranquille, mais en ce qui te concerne, je ne crierais pas victoire trop tôt !

— Si tu arrêtais d'inviter Chantal chaque fois qu'elle passe ici, je serais tranquille depuis longtemps, dit-il sur un ton de reproche.

Un peu vexée, Ellie décida néanmoins de continuer sur sa lancée.

— Et si elle n'était pas danseuse topless, tu envisagerais de sortir avec elle ?

— La question n'est pas là. Voilà où est la question : que dirais-tu si j'essayais de régenter ta vie amoureuse ? Tu penses que cela te plairait ?

Ellie fit la grimace.

— Tu as raison…

Le silence se fit entre eux et il la regarda intensément, le regard scrutateur.

— Pourquoi es-tu restée ici aussi longtemps ?

La question la cloua sur place.

— Oh ! je ne savais pas que ça te gênait. Tu aurais dû me le dire. Tu as le droit de vouloir récupérer ta maison, et je…

— Non, ce n'est pas ça du tout. Arrête. Je te pose la question car au départ, quand je t'ai fait cette offre, tu paraissais très réticente et je me suis demandé pourquoi tu étais finalement restée ici.

Elle regarda autour d'elle, gênée.

— C'est vrai qu'au départ j'ai beaucoup hésité, pour de multiples raisons, et puis je me suis habituée à cette maison et elle est devenue mon point d'ancrage. Bien entendu, je me demande parfois si je n'ai pas opté pour la solution de facilité. Je me sens en sécurité et je suis tombée amoureuse du jardin. Je sais que je ne pourrais jamais assez te remercier mais au moins je pourrai te dédommager avec l'argent que je gagne grâce à mes cerfs-volants.

— Je ne veux pas de ton argent, Ellie. Moi aussi, j'ai choisi la solution de facilité.

— Oh ! non. Sans toi, ma vie avec Simon aurait été bien plus difficile.

— Du point de vue financier, oui, mais il n'y a pas que ça.

— Ce n'est pas à toi de te préoccuper de nous, murmura-t-elle.

Il ne répondit pas, absorbé dans ses pensées.

— Pour ce qui est de l'autre soir…

Ellie se raidit.

— Je préfère ne pas en parler, déclara-t-elle froidement.

— Pourquoi ?

— Au cas où l'envie te prenne de nouveau de me remonter le moral.

— Je ne cherchais pas à te remonter le moral…

— Mais si, avoue. Tu as peut-être oublié, mais pour te rafraîchir la mémoire, ce jour-là, j'avais essuyé deux revers. L'un à cause de Chantal, l'autre à cause de Dan. Mais aujourd'hui, je n'ai aucune envie de m'apitoyer sur mon sort.

— C'est le brandy et le champagne qui font leur effet ? suggéra-t-il, les yeux rieurs.

— Non, je suis tout à fait moi-même, et d'ailleurs je n'ai pas non plus besoin que tu aies pitié de moi et que tu joues les chevaliers au grand cœur.

— Ah bon ? Tu en es sûr ? J'aurais juré que tu avais apprécié mon intervention. En tout cas, moi, ça m'a plu.

Elle le fusilla du regard, se leva et partit dans sa chambre sans avoir touché à son brandy.

Tôt le lendemain matin, elle reçut un appel de Simon.

— Comment ça va, maman ? Je ne te manque pas trop ?

— Je ne vois pas de quoi tu veux parler, dit-elle pour plaisanter.

— Je croyais que tu aurais du mal à survivre sans ton fils chéri.

— Tu me manques beaucoup, mais je tiens bon. Et toi ? Comment ça se passe ?

— C'est génial. Et grâce à tous les biscuits que tu m'as faits avant de partir, je suis une vraie vedette. Tu es la meilleure maman du monde.

— Oh ! tu es adorable.

— J'espère que tu ne vas pas te mettre à pleurer !

— Mais non, voyons !

— Comment ça se passe, avec Brett ?

— Euh… Bien. Pourquoi tu me demandes ça ?

— Tu lui as dit que tu l'aimais ?

La question la laissa pantoise.

— Pardon ?

— Je me suis dit que si tu l'embrassais…

— Simon !

— Je jure que je ne vous espionnais pas. Mais l'autre

jour, j'étais sorti de ma chambre sans faire de bruit et je vous ai vus. Donc je suis reparti et j'ai fait plus de bruit pour que vous m'entendiez arriver.

Ellie n'en revenait pas.

— Tu sais, maman, je suis content pour toi. Il est super sympa et vous allez bien ensemble. Bon, je dois te laisser…

L'instant d'après, la ligne fut coupée.

Ellie reposa doucement le téléphone puis alla préparer le petit déjeuner.

Brett était déjà dans la cuisine et lisait le journal.

— Bonjour. C'était qui, au téléphone ?

Elle le regarda d'un air renfrogné.

Depuis qu'il était guéri, il se levait à l'aube, faisait un jogging puis quelques longueurs dans la piscine avant de prendre sa douche et de s'habiller. Elle trouvait ça énervant de le voir aussi décontracté, sain de corps et d'esprit, détendu et beau comme un dieu…

— C'était mon fils unique.

Elle sortit une poêle pour cuisiner des œufs au bacon.

— Il a hâte de rentrer ?

— Au contraire, il s'amuse comme un fou, dit-elle en préparant un jus d'orange frais.

— Ellie ?

Mais elle ne l'écoutait pas, s'affairant déjà devant la gazinière.

— Qu'est-ce que tu fais pour le déjeuner ?

— Je viens à peine de commencer à cuisiner le petit déjeuner. Tu brûles les étapes.

— Non, je veux t'inviter à déjeuner.

— Pourquoi ?

— On est samedi, il fait beau, cela pourrait te permettre de te changer les idées et de ne pas penser à ton fils qui te manque alors que cela n'est pas réciproque, d'après ce que je crois comprendre. Cela est positif, d'ailleurs, car cela montre qu'il mène une vie comblée et équilibrée. En revanche, je ne sais pas si on peut en dire autant de toi…

Ellie souleva la spatule qu'elle tenait dans la main comme si elle était sur le point de le frapper.

— Es-tu en train d'insinuer que je ne mène pas une vie comblée et équilibrée ?

— Non, je crois juste que tu es un peu perdue en ce moment et que tu te sens seule en l'absence de Simon. Ce qui est normal. Oh ! ça sent le brûlé…

Horrifiée, elle lui tourna le dos pour tenter de sauver la situation.

— Midi, ça te va ?

— Je n'ai pas encore accepté ton invitation.

Elle l'entendit se lever alors qu'elle cassait deux œufs dans la poêle. Soudain parcourue de frissons, elle sut qu'il se tenait derrière elle. L'instant d'après, il lui retirait la spatule des mains et la faisait pivoter vers lui.

— Brett !

— Ellie, je ne peux pas accepter ce refus.

— Tu ne peux pas me forcer à déjeuner avec toi.

— Alors j'ai une autre idée en tête.

Il la regarda langoureusement, s'attardant sur chaque endroit où il l'avait embrassée en lui procurant tant de plaisir.

— On pourrait aussi rester ici et faire l'amour.

— Ne me touche pas, je t'en prie, bredouilla-t-elle.

— Alors tu acceptes de déjeuner avec moi ? s'enquit-il en lui adressant un sourire taquin et charmeur.

— D'accord, mais cela me mettra sans doute de mauvaise humeur.

Il déposa un léger baiser sur ses cheveux.

— Comme tu voudras…

Il l'emmena déjeuner dans un restaurant de fruits de mer de l'autre côté de la rivière et elle ne trouva pas le courage d'être de mauvaise humeur.

Lorsqu'ils traversèrent la rivière en bateau, elle le vit redécouvrir sa ville natale.

— C'est différent du Congo ?

— En effet !

— Tu y as passé de bons moments ?

— Oui, de très bons moments. Et j'ai rencontré des gens formidables. Mais je suis content d'être rentré.

Ellie soupira, désabusée.

Il lui adressa un regard interrogateur.

— J'adore Brisbane mais je m'étais promis de faire le tour du monde avant mes trente ans.

— Tu as encore de belles années devant toi.

— Il faudrait surtout que je trouve un mari fortuné !

Sa remarque parut le surprendre mais il ne dit rien.

— En tout cas, je te trouve très en beauté.

— Merci, je dois dire que tu n'es pas mal non plus.

Elle tenta de garder un air détaché, sans y parvenir. Il était beau à craquer. Le vent soufflait dans ses cheveux et ses yeux gris argenté brillaient comme les vagues alentour. Avec sa chemise bleue rayée blanc qu'il portait col ouvert sur un pantalon en lin beige, il était la séduction incarnée.

Ils s'installèrent à une table en terrasse, à l'ombre d'un parasol, avec vue sur la rivière. Elle commanda des crevettes et un grand soda bien frais, et lui une bière et du poisson grillé.

— Tu ne veux pas de vin ? Tu as trop bu hier soir ?

— Non, mais je ne bois jamais pendant la journée. Je préfère garder l'esprit clair, même si je ne dois pas m'occuper de Simon.

Il sourit.

— Il peut être difficile ?

— Non, dans l'ensemble, je dirais qu'il est plutôt discipliné mais ça n'en reste pas moins un garçon de dix ans très énergique.

— J'ai l'impression que vous vous entendez bien.

— Le fait de l'avoir eu jeune me rapproche de lui.

— En tout cas, on ne dirait pas que tu as un garçon de cet âge.

Ellie le scruta un instant.

— Tu recommences… Je n'ai pas besoin de tes flatteries ou de tes encouragements pour me sentir bien.

Il l'étudia longuement, sans mot dire.

— Je sais. Depuis mon retour, j'ai remarqué que tu étais plus forte, plus sereine, plus sûre de toi. En passant le cap des trente ans, tu es devenue une nouvelle Elvira Madigan.

Cela faisait longtemps qu'on ne l'avait pas appelée ainsi. Elle n'aimait pas son vrai nom.

— S'il te plaît, ne m'appelle pas comme ça.

— Pourquoi ? Moi, j'aime bien. D'ailleurs, la première fois que j'ai eu envie de te faire l'amour, c'était quand tu avais dix-neuf ans, le jour où j'ai découvert ta véritable identité.

— Quoi ? lança-t-elle, abasourdie.

Il s'adossa, tranquillement, le visage serein.

— C'est vrai. Ton nom, ton regard ingénu, ton air maladroit et ton charme indicible m'ont donné envie de toi.

Ellie resta bouche bée.

— Tu te demandes pourquoi je n'en ai jamais parlé ?

— Oui. Pourquoi avoir attendu aujourd'hui ?

— Je ne sais pas. D'abord il y avait Tom. Ensuite tu étais en deuil et enceinte. Le temps que Simon naisse, je savais que je serais souvent absent et je me disais que tu ne t'étais pas encore suffisamment remise.

Bouleversée, la voix tremblante, elle tenta de s'exprimer malgré tout.

— Donc tu es en train de me dire que tu as toujours eu envie de moi sans jamais avoir ressenti aucun sentiment à mon égard ?

— Non, je dis simplement que ça n'a jamais été le bon moment pour t'en parler. Je sens qu'à présent les conditions sont réunies. Je voulais te le dire pour que tu ne t'imagines pas que j'étais en mal d'amour depuis mon retour du Congo.

Comme Ellie le regardait, ébahie, il lui sourit et lui conseilla de manger avant que son plat refroidisse.

Elle mangea en silence pour se laisser le temps d'assimiler la nouvelle et d'imaginer une réaction. Mais impossible d'ordonner ses idées. Tout était trop confus. Elle était tellement persuadée de ne jamais avoir plu à Brett !

Soudain, elle se remémora la fois où Tom avait révélé son vrai prénom à Brett. A l'époque, elle avait les cheveux longs, souvent attachés avec une pince. Gênée par cette révélation, elle avait lâché ses cheveux pour pouvoir cacher son embarras et ses joues écarlates. Plus tard, en remettant sa pince, elle avait remarqué que Brett la dévisageait et s'était dit qu'il devait se moquer d'elle. Mais elle s'était trompée.

Sentant son cœur se gonfler, elle se sentit soulagée l'espace d'un instant. Non. Un an, deux ans, trois ans, soit. Mais onze ans ! Pourquoi aurait-il attendu onze ans pour révéler son désir ?

Elle prit son verre, étudiant la scène devant elle. Des mouettes survolaient la rivière et un petit yacht bleu et blanc naviguait paisiblement sur l'eau.

Impossible de regarder Brett, de croiser ses yeux perçants.

Elle avait du mal à imaginer sa réaction si elle lui avouait ses sentiments pour lui en cet instant.

— On dirait que mes paroles t'ont déroutée.

— Je n'avais jamais rien soupçonné de tel.

Leurs regards se nouèrent.

— Et ? s'enquit-il timidement.

Son cœur s'accéléra. Sous ses yeux gris intenses, elle était sans défense, offerte, soumise à un flot incohérent de sensations puissantes et charnelles. Elle perdait pied...

Alors que son esprit se brouillait, elle vit soudain qu'il arborait un air amusé, comme s'il était prêt à éclater de rire.

— Et alors ? Et alors, moi, je ne trouve pas ça amusant.

— Je m'excuse, je ne voulais pas me moquer de toi.

J'ai l'impression que tu es étonnée que je puisse te trouver belle, sensuelle et attirante.

— En effet, c'est le cas.

— Pourquoi ? Tu n'as jamais ressenti la même chose pour moi ? Hormis l'autre soir ?

Elle déglutit avec peine, tentant par tous les moyens d'ordonner ses pensées et de formuler une réponse intelligible.

— Là n'est pas la question. Pour moi, il y a une grande différence entre avoir envie d'attirer quelqu'un dans son lit et être vraiment amoureux de cette personne.

— Il faut bien commencer quelque part.

— Seul un homme peut dire une chose pareille !

— Tu as tort. Cette réplique me vient d'une jeune femme que j'ai rencontrée récemment.

Elle écarquilla les yeux.

— Chantal Jones. Ta sœur d'armes.

Un sourire lui étira les lèvres, malgré elle.

— Ma sœur d'armes ? N'exagérons rien. Et tu voudrais commencer par quoi, au juste ?

Il s'adossa, comme pour se laisser le temps de choisir ses mots.

— Je ne dis pas qu'il faut se précipiter dans le premier lit venu mais j'aimerais que nous envisagions ensemble certaines possibilités concernant l'avenir.

Sa proposition lui fit l'effet d'une douche froide.

— J'aimerais rentrer, dit-elle d'un ton sec.

— Là, je t'ai vraiment offensée.

Elle ne répondit pas, le regard rivé sur l'eau.

— Je crois que le prochain ferry ne va pas tarder à partir.

— Tu ne veux pas prendre un café ?

— Non. Merci pour le déjeuner. J'ai un cerf-volant à finir, et il faut que je rentre.

Alors qu'elle s'était levée, une jolie jeune femme brune s'approcha de leur table.

— Brett Spencer ?

Il se leva.

— Delia Saunders ?

— J'ai changé de nom en épousant Archie McKinnon il y a trois ans. J'ignore pourquoi j'ai attendu aussi longtemps. Nous sommes au comble du bonheur.

— Formidable ! Vous étiez faits l'un pour l'autre. Je suis ravi pour vous. Delia, je te présente Ellie.

— Oh ! nos retrouvailles tombent à pic. Archie et moi fêtons nos trois ans de mariage le week-end prochain. Si vous êtes libres, joignez-vous donc aux festivités.

— Avec plaisir. Merci, Delia.

— Je dois vous laisser… A très bientôt ! lança la jeune femme avant de disparaître.

— Je n'irai pas, dit aussitôt Ellie.

— Pourquoi ne l'as-tu pas prévenue directement ?

— Quand ça ? Comment ça ? Je n'ai pas eu le temps de réagir.

— Delia est la reine de l'organisation. Ses fêtes sont toujours très réussies.

— Ce n'est pas le problème. Nous ne pouvons pas y aller ensemble.

— Pourquoi ?

— Parce que nous ne sommes pas un couple.

— Ce serait un bon moyen d'apprendre à se connaître, dit-il tout en lui souriant d'un air malicieux.

— Je ne sais pas si c'est une bonne idée.

— Réfléchis-y quand même.

« Réfléchis-y quand même », se répétait Ellie alors qu'elle rentrait dans la maison silencieuse.

Elle avait envie de hurler ou de taper dans un punching-ball. Qu'avait-il en tête, au juste ? Une aventure ? Il était indéniable qu'un courant sensuel à haut voltage circulait entre eux, mais quand même !

Que connaissait-elle du vrai Brett Spencer, après tout ?

Pas grand-chose… Il convenait donc de se montrer très prudente.

5.

Simon revint le dimanche soir en fin de journée, bronzé et enthousiaste. Pour le taquiner, Ellie lui fit remarquer que, pour quelqu'un qui prétendait ne pas aimer la nature, il donnait l'impression d'avoir apprécié ces cinq jours au grand air.

— C'était super chouette, on a fait des feux de camp le soir, on a joué au poker et je suis descendu en rappel du haut d'une falaise. Heureusement que tu n'étais pas là, tu aurais eu trop peur.

En renversant le contenu du sac de Simon par terre, Ellie découvrit un monceau d'habits humides et couverts de boue.

— Il a beaucoup plu ?

— Non, mais il y avait une mare où on jouait aux hippopotames.

— Tu sais que ces vêtements sont probablement bons à jeter ?

— Mais non, je sais que tu es la reine de la lessive.

— Quel compliment !

Sur ces entrefaites, Brett entra dans la cuisine.

— Salut, Simon. Content de te revoir.

— Et moi je suis content de vous revoir tous les deux. Maman s'est bien comportée ?

— Simon, dit Ellie sur un ton sévère.

— Tu lui as manqué mais j'ai veillé sur elle et je l'ai emmenée déjeuner hier.

Ellie posa les mains sur les hanches, furieuse.

— C'est bientôt terminé, votre petit jeu ? Je suis là et je n'ai pas trois ans, alors arrêtez tout de suite !

Simon vint vers elle et la prit par la taille.

— Ne te fâche pas, maman. Mais c'est vrai que je ne serais pas parti cinq jours sans savoir que Brett était là pour veiller sur toi. C'est normal de se préoccuper des gens qu'on aime.

En levant les yeux vers Brett, Ellie surprit une lueur indéfinissable qui l'émut aux larmes. Puis Simon lança, rompant le charme :

— J'ai faim !

— Ah, voilà, je retrouve mon fils chéri !

— J'ai une idée. Et si on faisait un barbecue ? Ellie, va t'asseoir dehors, Simon et moi allons nous occuper de tout.

— Non, c'est bon…

— Maman, c'est un ordre.

— Si vous vous liguez contre moi, je ne fais pas le poids, dit-elle en quittant la cuisine, inquiète de savoir dans quel état elle la retrouverait.

— Allez, file ! Je t'apporterai un verre. On se chargera aussi du nettoyage, promit-il, comme s'il avait lu dans ses pensées.

Les deux hommes de sa vie tinrent leur promesse.

Brett alluma le feu et fit griller des saucisses, des steaks et des oignons, tout en montrant à Simon comment il fallait s'y prendre. Ils préparèrent aussi des pommes de terre en robe des champs, badigeonnées de persillade, ainsi qu'une salade de tomates au basilic.

— Je suis impressionnée. Je vais pouvoir rendre mon tablier et vous laisser aux fourneaux.

Voyant leur mine horrifiée, elle éclata de rire.

— Je plaisantais. En tout cas, merci, ça me fait plaisir.

Ils mangèrent tranquillement, profitant des arômes du jardin et voyant pointer à l'horizon de gros nuages orageux.

Puis de but en blanc, Simon dit :

— Dans quelle école est allé mon père, maman ?

Ellie n'en savait rien mais Brett vola à son secours. Il s'agissait de l'école privée où il avait lui aussi fait sa scolarité.

— C'est drôle, le père de Martie Webster, mon meilleur ami, est allé dans cette école et c'est là que Martie ira lui aussi. Et moi, maman, je pourrai y aller ?

Que répondre ?

— Je ne crois pas. Pour entrer dans ces écoles, il faut être inscrit dès la naissance. Tu auras bien des amis qui iront au lycée public, non ?

— Oui, mais je m'étais dit que ce serait bien d'aller dans la même école que mon père.

Voyant qu'Ellie était dans l'embarras, Brett tenta de changer de sujet.

— En tout cas, tu lui ressembles. Tu sais qu'il a aussi vécu dans cette maison ?

— Oui. Tu peux me parler de cette période ?

— Bien sûr. Viens, on va faire la vaisselle et je te raconterai tout. Ensuite, on amènera une tasse de café à ta maman.

Ils laissèrent Ellie en proie à des émotions conflictuelles. Elle savait depuis toujours que Simon finirait par poser des questions sur son père et le moment était arrivé. C'était normal et elle n'avait pas à se sentir coupable de ne pas avoir su lui dire dans quelle école son père était allé. Non, ce qui était plus gênant, c'était de sentir qu'en parlant de Tom Brett pouvait facilement établir un lien étroit avec Simon, et que ce lien serait très difficile à rompre si le trio venait à se séparer.

Ils revinrent avec une tasse de café et Simon déclara qu'il allait se coucher, épuisé par ces quelques jours au grand air.

*
* *

Brett se rassit près d'Ellie.

— Que lui as-tu raconté ?

— Que Tom était un joueur de cricket hors pair, qu'il avait toujours été fasciné par les ponts et les routes, que c'était le meilleur imitateur du monde, ce genre de choses…

— Tu ne lui as pas parlé du polo ?

Brett se tut un instant.

— Non, je n'ai pas parlé de polo. Pour ce qui est de sa scolarité, j'ai une idée.

Elle soupira. Les écoles privées avaient toujours des réputations formidables et des équipes sportives à faire rêver mais c'était hors de question pour son fils…

— Même si j'arrivais à le faire entrer, je ne pourrais jamais me le permettre.

— Moi, si.

— Je sais. Mais il y a sûrement une liste d'attente.

— Oui, mais les enfants des anciens élèves ont priorité.

— Tom et moi n'étions pas mariés, donc ça ne nous avance à rien. Et je ne voudrais pas t'imposer le poids de sa scolarité.

— Je voulais dire que je pourrais le faire entrer… comme mon fils.

Ellie écarquilla les yeux.

— Si on se mariait, tout s'arrangerait pour le mieux.

— Brett ! Je n'arrive pas à croire que tu puisses suggérer une chose pareille !

— Pourquoi ?

— Pourquoi ? Tu oses me le demander ? Alors monsieur décide qu'il a besoin d'une femme ou qu'il a envie d'adopter un garçon de dix ans, et comme je suis dans les parages et que nous vivons sous le même toit, je n'ai qu'à accepter sans me poser de questions ? C'est bien cela ?

— Tu te trompes sur mes motivations, mais avoue que nous vivons sous le même toit et que notre union ressemble à un mariage. Pourquoi ne pas l'officialiser ? En plus, j'ai l'assentiment de Simon.

— Comment ça ?

— Il nous a vus, l'autre soir.

— Je sais, mais…

Impossible de continuer.

— Il est venu me voir le lendemain matin et, d'homme à homme, il m'a laissé entendre qu'il me donnait sa bénédiction. Il m'a même donné quelques conseils pour assurer la réussite de mon entreprise.

— Je n'arrive pas à y croire ! lança-t-elle.

Enfin, elle n'avait pas de mal à croire que Simon ait pu avoir cette conversation avec Brett, mais elle n'arrivait pas à croire qu'ils aient pu tous deux discuter d'elle ainsi.

— Et toi, il te l'a dit quand ?

— Le matin où il m'a appelée quand il était en voyage scolaire. Il t'a donné des conseils ? Quel genre de conseils ?

— Il m'a dit que tu étais très prudente et qu'il te fallait du temps à t'habituer au changement. Il m'a donc conseillé de me montrer patient et il m'a aussi dit que tout était dans l'art de la présentation.

— Quoi ?

— C'est ton fils, ironisa-t-il.

— En tout cas, j'espère que tu prendras garde de ne pas lui donner de faux espoirs.

Il l'observa en silence.

— J'ai découvert qu'avec Simon, souvent, les mots ne sont pas nécessaires. Il comprend instinctivement. Je ne me suis pas engagé, je ne lui ai rien promis. Je lui ai juste fait comprendre qu'il n'avait pas besoin de jouer les entremetteurs.

— Brett, tu te rends compte que tu passes ton temps à dispenser des conseils que les gens ne suivent pas ?

Il la regarda, feignant d'être blessé.

— Chantal croit encore que tu es l'homme de sa vie. Quant à Simon…

Elle se mordit la lèvre.

— Il t'a donné des conseils malgré mes conseils ? Il t'a donné sa bénédiction ?

Ellie observa un silence éloquent.

— Parfait. Donc tu vois, même le romantisme est déjà présent dans notre relation, lança-t-il avec ironie.

Soudain, elle frissonna.

— Le romantisme est une chose mais l'amour en est une autre et c'est exactement ce sont j'ai besoin. Cela fait trop longtemps que j'attends pour pouvoir envisager un compromis.

— L'amour est capricieux… C'est peut-être le sentiment le plus complexe de tous Mais il peut grandir entre deux êtres unis dans le but de fournir un foyer équilibré à un enfant de dix ans.

Elle tressaillit.

— D'ailleurs, cette union ne profiterait pas seulement à Simon. Je pense aussi à toi. Peux-tu me dire en me regardant dans les yeux qu'une vie de famille stable ne serait pas préférable à une ribambelle de conquêtes ?

Elle garda le silence, se sentant blessée, frustrée, et sur la défensive. Ce qui suivit acheva de l'accabler.

— Peux-tu me dire en me regardant dans les yeux que tu n'es pas animée d'émotions qui ne demandent qu'à éclater au grand jour ? Cela fait onze ans que tu réprimes tes sentiments amoureux, que tu t'empêches de vivre pleinement.

Elle ferma les yeux.

— De ce point de vue, je suis une valeur bien plus sûre que les choix que tu as faits jusqu'à présent.

Quand Ellie rouvrit les yeux, Brett sut qu'il était allé trop loin et qu'il l'avait blessée dans sa fierté. Tout en ayant conscience de parler trop franchement, il n'avait pas pu s'en empêcher.

Pourquoi ? Parce ce que pendant toutes ces années il ne s'était jamais avoué qu'il avait lui-même réprimé les émotions qu'elle éveillait en lui ? Parce qu'il s'était toujours senti coupable d'avoir envie de faire l'amour à la conquête de son meilleur ami ? Parce que depuis toujours il était curieux d'en savoir plus sur cette femme fragile à la féminité envoûtante ?

Réprimer ses émotions était-il devenu chez lui une habitude ?

Pour l'instant, il n'avait pas d'éléments de réponse car Ellie ne se montrait pas coopérante. Tout ce qu'il savait c'est qu'il s'était juré de tout faire pour assurer le bien-être du fils de Tom.

— Ellie, tu auras beau dire ce que tu veux, je refuse de te laisser mettre en péril l'avenir de Simon à cause de tes choix douteux, dit-il sur un ton plus dur qu'il ne l'aurait voulu.

Elle se leva d'un bond, le fusillant du regard.

Il se leva à son tour et vint tout près d'elle.

— Brett, franchement, je suis déçue, je n'aurais jamais cru ça de toi…

Un sourire amusé anima son visage.

— Pourquoi pas ? Je suis un homme et j'ai envie de toi depuis onze ans.

Ellie n'était pas dupe.

— Non, c'est faux. L'idée t'a peut-être traversé l'esprit il y a onze ans, mais c'est tout.

— C'est vrai, l'idée m'a traversé l'esprit il y a onze ans et chaque fois que je t'ai revue et elle ne m'a plus quitté depuis que je suis rentré…

Tout en murmurant ces mots, il l'avait scrutée avec une intensité inouïe qui la fit tressaillir d'émoi.

Bouche bée, Ellie était incapable d'enchaîner.

Soudain, un coup de tonnerre gronda et elle sursauta, s'accrochant à lui.

— Tu as peur ?

Un nouveau coup de tonnerre éclata.

— Rentrons !

Quand il la prit dans ses bras, elle se sentit légère comme une plume.

A peine étaient-ils rentrés qu'il se mit à pleuvoir des cordes.

Il la déposa sur le canapé dans le salon.

— Attends, j'arrive. Je vais voir si Simon va bien.

Quelques instants plus tard, il vint la rejoindre.

— Il dort comme un loir. J'ai éteint sa lumière et rangé son *Livre des records*. Il lit toujours ça avant de se coucher ? s'enquit-il alors qu'il prenait place à côté d'elle et lui entourait les épaules de son bras, comme si c'était la chose la plus naturelle du monde.

Elle sourit.

— Oui. Toujours. Son but est d'y figurer un jour mais il ne sait pas encore dans quelle catégorie.

Sans savoir pourquoi, tout en souriant, elle ne put se retenir de verser quelques larmes. Etait-elle en train de relâcher toute la tension accumulée en elle ?

— Désolée, je ne sais pas ce qui m'arrive.

— Oh ! Ellie, susurra-t-il avant de s'emparer de sa bouche et de l'embrasser le plus tendrement du monde.

Lorsqu'il s'arracha à elle, ses larmes ne coulaient plus. Elle se sentait détendue et sereine. Si sereine qu'elle s'endormit doucement dans ses bras.

Brett contempla son visage contre son épaule et eut soudain envie de protéger ce corps fragile blotti contre le sien.

Rejetant la tête en arrière, il prit quelques minutes pour repenser à la soirée et aux surprises qu'elle lui avait réservées. Il avait enfin réussi à lui faire la proposition à laquelle il pensait depuis longtemps. S'ils se mariaient, ce serait une situation qui profiterait à tout le monde, surtout à Simon. Mais était-ce vraiment pour Simon qu'il faisait ça ? Il en venait à douter de ses motivations. Et qu'en était-il d'Ellie ? Pourquoi se montrait-elle si méfiante ?

Elle était sans aucun doute attirée par lui, mais serait-elle capable d'aimer de nouveau ? De tomber amoureuse de lui ?

Il voulait le bonheur de Simon et celui d'Ellie, et se promit de parvenir à ses fins.

Le lendemain matin, quand Ellie ouvrit les yeux, elle se trouvait dans son lit. Elle portait encore ses vêtements de la veille mais elle n'avait plus ses chaussures.

Elle s'assit d'un bond puis tout lui revint à l'esprit.

En voyant les chiffres affichés par le réveil, elle paniqua. Il lui restait moins d'une demi-heure pour se préparer et réveiller Simon pour qu'il n'arrive pas en retard à l'école !

Quand elle arriva dans la cuisine, affolée, hirsute, elle constata que Brett était déjà levé, que Simon était habillé et occupé à manger tranquillement son bol de céréales.

— Bonjour, maman ! Tu n'as pas l'air d'être bien réveillée.

Brett lui présenta une tasse de thé qu'elle accepta volontiers sans oser le regarder.

— Merci. Vous vous êtes levés tôt ?

— Oui ! On a même eu le temps de faire un jogging et de nager un peu dans la piscine. Maman, tu devrais essayer de faire ça le matin, c'est génial !

Ellie s'assit à table tandis que Brett les rejoignait. Il était déjà habillé pour le travail, rasé de près, plus vif que jamais. La virilité sensuelle et la force tranquille qui émanaient de lui étaient trop difficiles à supporter pour une femme dans sa situation, qui plus est tôt le matin.

— Simon, Ellie, commença-t-il, je dois partir pour quelques jours. Vous pensez que vous pouvez vous passer de moi ?

— Bien sûr ! lança Simon.

— Absolument, renchérit Ellie d'un ton un peu trop enthousiaste.

Il lui jeta un petit regard interrogateur mais demeura silencieux.

— Où vas-tu ? demanda Simon.

— J'ai une réunion importante à Sydney. Je serai de retour jeudi.

— Aucun problème, Simon et moi sommes habitués à nous débrouiller, n'est-ce pas ? ajouta Ellie sur un ton détaché.

— Oui, on se débrouille mais avoue que c'est bien d'avoir un homme à la maison, hein, maman ?

— Ton déjeuner ! lança Ellie, refusant de conforter Simon dans son idée.

— C'est fait, je l'ai préparé. Et je peux déposer Simon à l'école.

— Je vais me brosser les dents et je te retrouve dans la voiture. Bonne journée, maman !

Brett attendit que Simon soit dans la salle de bains pour s'approcher d'Ellie qui semblait abasourdie.

— Je suis vraiment désolé de devoir partir. J'avais oublié, dit-il d'une voix douce.

— C'est bon, ça ne fait rien.

— Vraiment ?

— Tu sais, pour hier soir…

— Il ne s'est rien passé.

Elle se mordit la lèvre.

— Je me suis emportée, une fois de plus.

— Je dirais que nous nous sommes tous les deux emportés. Chez nous, ça devient une habitude.

— Et pour le reste ?

— Peut-être que ces quelques jours nous permettront de prendre un peu de recul ?

— Tu allais me dire d'y réfléchir, c'est ça ?

— J'ai hésité à employer le mot, de peur que tu ne hurles, mais… pourquoi pas ?

— D'accord, j'y réfléchirai mais je ne promets rien.

— Je m'en doutais un peu

Un bruit de Klaxon retentit.

— Ton fils s'impatiente, je dois filer. *Hasta luego, muchacha!*

— *Hasta luego!*

Les jours suivants se révélèrent épuisants pour Ellie car deux de ses collègues durent s'absenter pour maladie. C'était aussi une semaine très chargée pour Simon. Il avait ses entraînements de natation, ses répétitions pour la pièce de théâtre de l'école et un match de cricket. En plus de faire le taxi, Ellie dut aussi fabriquer le costume de soldat que Simon porterait sur scène.

— Heureusement que tu ne joues pas le rôle de Ned Kelly! dit-elle à son fils. Le costume aurait été encore plus compliqué.

— Je n'ai pas voulu jouer Ned Kelly car d'après moi il n'est pas aussi héroïque qu'on le dit.

— Tu ne m'avais jamais raconté ça!

— J'avais peur que tu ne me trouves pas assez patriote. Ellie éclata de rire.

— Tu es vraiment un sacré bonhomme! Je n'ai jamais été une grande fan de Ned Kelly, donc je comprends tout à fait ta décision.

Plus tard, alors qu'elle se préparait à aller au lit, Ellie pensa à son fils. A dix ans, il était déjà très perspicace et son esprit curieux le poussait à découvrir sans cesse de nouvelles choses qu'il assimilait sans s'en apercevoir.

De fil en aiguille, elle en vint à se remémorer la conversation qu'elle avait eue avec Brett au sujet de la scolarité du garçon et songea à la question du mariage.

Après avoir enfilé sa chemise de nuit, elle se glissa sous la couette. Elle se mit à fantasmer sur Brett, s'imaginant dans ses bras, dans son lit, sous lui… Son corps réagit instantanément à ces pensées ardentes.

Elle avait très envie de lui et elle savait à présent que leur attirance physique était mutuelle et que lui aussi voulait lui faire l'amour. Mais leur relation pouvait-elle aller au-delà de la simple attirance physique ?

Et qu'en était-il de Chantal Jones ? Ne ressentait-il vraiment rien pour elle ?

Le lendemain, Dan vint lui rendre visite pour lui apprendre qu'il était tombé amoureux de Chantal.

— Je comprends tout à fait tes sentiments, dit-elle en lui servant une tasse de café.

— Je suis désolé, je ne sais pas ce qui m'a pris…

Ellie étudia sa mine dépitée.

— Dan, pourquoi te poses-tu autant de questions ? Nous n'étions pas faits l'un pour l'autre, un point c'est tout.

— Je ne voulais pas que tu aies une mauvaise opinion de moi. Je crois que j'ai été subjugué par sa personnalité, et son physique. Mais je sais aussi que je suis loin d'être l'homme qu'il lui faut.

Ellie était gênée de devoir discuter de la vie sentimentale de Dan ou de Chantal, mais ne savait pas trop comment changer de sujet.

— Tu es ici pour combien de temps ?

— Deux semaines.

— Il te reste donc deux semaines pour découvrir si tu es ou non l'homme idéal pour Chantal.

Il la regarda, stupéfait.

— Dan, nous savons que je ne suis pas faite pour toi, mais concernant Chantal, tu dois tenter ta chance et foncer sans réfléchir.

— Tu pourrais me donner des conseils ?

Elle eut envie d'éclater de rire mais se ressaisit et s'appliqua à répondre le plus sérieusement du monde.

— Avec Chantal, la persévérance est la clé de la réussite. Je crois qu'il faut rester discret tout en faisant preuve de délicatesse, comme tu sais si bien le faire. Surtout, ne pas la brusquer.

Dan se leva d'un bond, revigoré, tel un nouvel homme.

— Parfait, alors au travail ! Et sache que si tu as besoin d'un ami, je serai toujours là pour toi.

— Merci, Dan.

Une fois qu'il fut parti, elle se demanda quelle mouche l'avait piquée de donner à Dan de tels conseils. En revanche, elle ne s'en faisait pas pour Chantal. C'était une jeune femme pleine de ressources qui savait ce qu'elle voulait.

— Me revoilà ! lança Brett en entrant dans la cuisine par la porte de derrière.

— Ah… Bonjour !

Il avait été retardé et n'avait pas pu revenir le jeudi, comme il l'avait prévu. On était vendredi soir et Ellie venait de faire manger Simon qui était aussitôt reparti à l'école pour une répétition.

Vêtu d'un costume sombre qui lui allait à merveille, Brett était beau à couper le souffle. Il enleva sa veste, sa cravate et s'assit à la table de la cuisine.

— J'ai préparé des lasagnes. Tu veux te joindre à moi ?

— Avec plaisir.

Légèrement gênée, elle ne savait pas quel ton adopter.

— J'espère que tu as vérifié que ta voisine n'avait pas échangé son sac avec le tien.

— Ma voisine avait environ quatre-vingts ans.

— Oh ! tu sais, tout est possible…

Que lui arrivait-il donc ? Et depuis quand avait-elle décidé de lui faire savoir à quel point il était beau et irrésistible ?

Ou avait-elle peur de ses propres sentiments parce

qu'elle n'avait toujours pas réussi à prendre une décision concernant leur éventuelle union ?

— Alors ? Quoi de neuf ?

— Tout va bien. J'ai été très occupée. Trop, même.

— Ah bon ? Pourquoi ?

Elle lui raconta sa semaine exténuante puis il se leva pour aller chercher une bouteille de vin, l'ouvrit et posa un verre devant elle.

— A te voir, je crois que ça te ferait du bien.

— A me voir ? J'ai l'air de quoi, au juste ?

— Tu me sembles un peu tendue. Le médecin te conseille de la relaxation et des activités divertissantes. Comme la soirée de Delia, demain soir, par exemple.

Elle fit la grimace.

— Oh ! j'avais oublié.

— Je ne connais pas très bien les femmes, mais je crois que quand elles sont stressées, une soirée entre amis leur fait généralement beaucoup de bien. Enfin, plutôt les préparatifs en vue de ladite soirée…

— Les préparatifs ? Mais de quoi parles-tu ?

— Oh ! d'acheter une nouvelle robe, d'aller chez le coiffeur, de se faire faire une manucure ou une pédicure, de prendre du bon temps en se prélassant dans un bain. Je m'occuperai de faire le taxi pour Simon. Et le soir, tu n'auras qu'à profiter de la soirée et t'amuser.

Ellie ferma les yeux, imaginant ce scénario idyllique, même si la féministe en elle aurait dû se rebeller.

Brett en savait beaucoup plus sur les femmes qu'il ne le prétendait. Malheureusement pour elle !

— Il faudra expliquer à tout le monde pourquoi nous vivons sous le même toit et je ne m'en sens pas le courage.

— Je te propose de me laisser faire.

— Comment vas-tu t'y prendre ? Il faudra aussi parler de Simon, expliquer qui est son père… Tu ne vois pas que c'est trop compliqué pour moi ?

— Je ne comprends pas ta réticence. Nous n'allons pas

au tribunal, tout de même ! Rien ne nous oblige à aborder ces sujets. Mais si ça peut te rassurer, il se trouve que Delia a un enfant d'une relation précédente.

— Ah ?

Il sourit, l'air satisfait.

— Le monde a évolué. Ce n'est plus tabou d'être mère célibataire, de vivre en concubinage ou de se remarier.

— Je suis au courant, merci. Ce qui me tracasse le plus, c'est de faire semblant de former un couple avec toi alors que rien n'a été résolu entre nous. Deux baisers ne suffisent pas à sceller notre union.

— Deux baisers très agréables…

— Soit.

— Peux-tu me dire ce que tu attends, au juste ? Tu veux que je te fasse une déclaration d'amour enflammée ?

— Non.

Il tiqua, déçu de sa réponse.

— Tu te fais une montagne de peu de chose. Si tu n'es toujours pas convaincue par ma proposition, alors peut-être devrions-nous passer un peu plus de temps ensemble pour t'aider à prendre ta décision ?

Comme elle se levait pour débarrasser, il l'imita et la retint par le poignet.

— On peut très bien choisir de rester ici et de reprendre où nous en étions restés, lui susurra-t-il sensuellement à l'oreille tout en contemplant au passage la naissance de ses seins.

— Lâche-moi, s'il te plaît, dit-elle, les joues enflammées.

— Tu viendras avec moi chez Delia ? demanda-t-il alors que son pouce lui caressait l'intérieur du poignet.

— C'est du chantage ?

— En effet. Mais vois le bon côté des choses. Au moins, nous ne serons pas seuls, répliqua-t-il d'un ton taquin.

— Bon, c'est entendu. Mais tu sais, je serai peut-être…

— Je sais. De mauvaise humeur.

— Parfaitement! lança-t-elle alors que le téléphone sonnait.

— C'est Simon. Il a pris mon téléphone pour m'appeler quand la répétition serait terminée.

— Je vais aller le chercher. Pendant ce temps-là, tu pourras te morfondre sur l'injustice dont tu es victime, dit-il en embrassant l'intérieur de sa main avant de la libérer.

6.

Brett n'était déjà plus dans la maison quand Ellie sortit de sa chambre, le lendemain matin. Il y avait un message sur le réfrigérateur l'informant que Simon et lui s'étaient organisés pour la journée et qu'elle était donc libre de faire ce qu'elle voulait.

Malgré les doutes qu'elle avait émis la veille, elle se mit en tête de suivre à la lettre l'ordonnance prescrite par le docteur Brett.

Elle se fit faire une manucure, un soin du visage, se rendit chez le coiffeur puis alla faire les magasins à la recherche d'une tenue pour la soirée. Elle trouva exactement ce qu'elle voulait. Un haut fuchsia assez court et une jupe imprimée à volants. Pour compléter, elle s'acheta une paire de sandales à hauts talons.

Puis sur un coup de tête, elle entra dans une boutique de lingerie où elle fit l'acquisition de nouveaux sous-vêtements en dentelle, ainsi que d'une nuisette et d'un déshabillé de soie argentée assortis.

Et pour finir, elle fit le plein de produits de beauté, arrivant ainsi à épuisement de ses économies si durement gagnées.

— Waouh ! Tu es super belle, maman.
— Merci. Tu as tout ce qu'il te faut ?
Simon allait passer la nuit chez son meilleur ami, Martie.
— Oui ! Amuse-toi bien, dit-il en claquant la porte pour

la rouvrir quelques secondes plus tard car il avait oublié la boîte de biscuits qu'Ellie avait confectionnés.

— Oh ! et surtout, réfléchis bien avant d'agir, lança-t-il gaiement.

— Pourquoi ai-je la sensation de perdre le contrôle ? murmura-t-elle pour elle-même.

— Le contrôle de quoi ?

Brett la fit sursauter.

— Le contrôle de ma vie. Suis-je en train de devenir folle ?

— Je ne sais pas. Mais ce que je sais, c'est que tu es belle à croquer, dit-il, l'observant en détail.

Le rose de son petit débardeur mettait en valeur ses épaules soyeuses. Sa jupe accentuait la finesse de sa taille et soulignait sa silhouette menue. Ses boucles coiffées au carré dansaient autour de son visage, son maquillage était parfait et ses lèvres brillantes…

Il n'eut pas le temps de s'attarder sur ses lèvres car déjà elle lui tournait le dos.

— Allons-y ! proposa-t-elle en prenant son sac à main.

— Tu as peur d'être tentée de rester ? suggéra-t-il.

Elle lui fit face de nouveau.

— Brett Spencer, sache que je possède une volonté de fer !

Il rit de bon cœur pour chasser sa déception.

— Je ne peux pas dire que ce soit mon cas donc tu as raison, allons-y !

Tous deux absorbés dans leurs pensées, ils firent la route en silence jusque chez les McKinnon.

Alors que Brett garait sa Range Rover rouge, Ellie se sentit soudain très nerveuse.

Il descendit de voiture, fit le tour pour lui ouvrir la portière et lui tendit la main pour l'aider à descendre. Elle marcha à ses côtés dans l'allée qui montait vers la maison, puis à quelques pas de la porte d'entrée, elle se figea.

Il la regarda, l'air étonné.

— Je ne connais personne, ici.

Il lui prit la main et déposa un baiser sur ses cheveux.

— Je suis là, tout ira bien…

Il y avait environ une cinquantaine d'invités à la fête d'anniversaire de mariage de Delia et Archie McKinnon. Ils avaient organisé un barbecue de luxe sur leur terrasse au bord de l'eau. Brett connaissait un certain nombre de gens mais comme il ne les avait pas vus depuis longtemps, Ellie n'eut pas trop de mal à bavarder avec eux.

Elle réussit même à se détendre et à profiter de la soirée. Les petits fours étaient succulents, le vin coulait à flots, la musique d'ambiance était agréable et la conversation variée et intéressante. Archie McKinnon, un homme grand et mince, avocat de son état, avait beaucoup d'humour et Delia et lui firent leur possible pour qu'Ellie se sente à l'aise. De plus, heureuse coïncidence, Archie était aussi un passionné de cerfs-volants.

Gemma Arden, l'avocate de Brett, arriva un peu plus tard dans la soirée.

— Ellie ! Quelle bonne surprise de te voir ici. Comment va Simon ?

— Bien, merci.

— Et comment se passe le retour à la civilisation de notre ami Brett ?

— Je crois que ce n'est pas aussi facile qu'il le prétend. Depuis son retour, il a des idées étranges.

Gemma écarquilla les yeux, visiblement curieuse d'entendre la suite.

— Quel genre d'idées ?

Avant de répondre, Ellie but une gorgée de vin, regrettant ce qu'elle avait dit. Gemma sembla percevoir sa réticence.

— Et si nous déjeunions ensemble ? Nous pourrions discuter tranquillement. Ici, ce n'est pas l'idéal.

— Avec plaisir, dit Ellie, soulagée de ne pas avoir à poursuivre cette conversation.

Elles se mirent d'accord sur le lundi suivant alors qu'on annonçait que le buffet était prêt. Brochettes de bœuf, champignons grillés, pommes de terre sous la braise, ratatouille et une multitude de salades… La farandole de desserts était tout aussi alléchante.

Quand les couples se mirent à danser, Brett invita Ellie. Séduite par la musique, l'ambiance et envahie par une merveilleuse sensation de bien-être, elle accepta.

La terrasse était baignée d'une lumière tamisée, une odeur de jasmin parfumait à merveille l'air tiède de la nuit et Brett se révélait un merveilleux cavalier.

Soudain, elle avait l'impression de revivre. Elle ne s'était pas sentie aussi bien depuis longtemps. Très longtemps. Trop longtemps…

Dans les bras de Brett, elle découvrit que ces sensations nouvelles étaient liées à lui, à sa présence rassurante.

Bizarrement, même si elle lui tenait tête et était parfois énervée ou offensée par son comportement, elle devait bien reconnaître qu'il lui apportait un soutien moral indispensable à son équilibre.

Toute à ses pensées, elle trébucha.

— Désolée, je manque de pratique.

Il secoua la tête et la serra davantage contre lui.

— Tu mens très mal, Ellie, murmura-t-il avant de se remettre à danser au rythme de la musique.

— Brett… je croyais que nous étions venus ici précisément pour éviter tout rapprochement physique.

Baissant vers elle son visage taillé à la perfection, il la regarda avec insistance comme si ses yeux pouvaient pénétrer son âme, comme s'il la déshabillait, prêt à fouiller dans les profondeurs de son intimité, comme s'il n'y avait plus qu'eux au monde et qu'ils pouvaient céder à leur fascination mutuelle et laisser libre cours à leurs désirs les plus fous.

Enfin, il parla, d'une voix douce comme du miel.

— Autant dire que notre tentative a échoué. Et puis, nous ne pouvons pas passer le reste de notre vie à fuir la maison. D'ailleurs, si on rentrait ? suggéra-t-il en un murmure séducteur.

Elle le regarda, désemparée.

— Je savais que tu voulais me piéger.

— Te piéger ? Quelle idée !

— Ne fais pas l'innocent.

— Ce que je constate, c'est que nous avons tous deux envie l'un de l'autre.

— Mais je ne suis pas prête à franchir le pas.

Brett desserra son étreinte.

— Soit, alors restons. Ce serait dommage de quitter une fête qui bat son plein pour... une cause perdue, lança-t-il sèchement.

Elle le fusilla du regard.

— A t'entendre, j'ai l'impression que tu n'as qu'une seule chose en tête.

— Ah ! Tu as enfin compris que Chantal Jones n'avait aucune importance dans ma vie ! lança-t-il, feignant de ne pas comprendre ce qu'elle disait.

— Oui ! Enfin, non ! Ne fais pas exprès de m'embrouiller. Tiens, d'ailleurs Chantal doit m'en vouloir, à l'heure qu'il est.

— Pourquoi ? s'enquit-il.

Elle lui décrivit en quelques mots la situation.

Il éclata de rire.

— C'est exactement ce qu'il me fallait.

— Pourquoi ?

— Je dois avouer que je culpabilisais par rapport à Chantal Jones. Mais maintenant, c'est terminé.

— Tu culpabilisais ?

— Oui.

— Pourquoi ?

— Probablement parce que Dan Dawson t'avait demandé en mariage avant de s'amouracher de Chantal.

— Je ne comprends toujours pas.

— Je n'aurais jamais dû la laisser se faire des illusions dans l'avion alors que je n'avais aucune intention de donner suite à notre rencontre.

— Comment pouvais-tu en être aussi sûr ? s'enquit Ellie, perplexe.

— Je te l'ai déjà dit. Parce que j'avais quelqu'un d'autre en tête. Une certaine Elvira Madigan.

— Déjà, dans l'avion ? Je ne te crois pas. Tu ne m'avais pas vue depuis cinq ans.

— Et alors ?

Il fut amusé de voir à quel point cet échange l'étonnait.

— Tu cherches encore une logique à tout ça ? Quand comprendras-tu que tout ne peut pas être soumis à la logique ?

Il la fit tourner plusieurs fois au rythme de la musique puis s'immobilisa.

— La balle est dans ton camp, Elvira Madigan, à toi de jouer !

Après cette danse, Ellie déclara qu'elle souhaitait rentrer.

Ils prirent congé de leurs hôtes puis se mirent en route.

Dans la voiture, elle jeta à plusieurs reprises quelques regards furtifs en direction de Brett. Elle se sentait soudain frustrée, crispée et mécontente. Comment faire la part des choses ? Brett attendait quelque chose d'elle mais elle se sentait sous pression, incapable de prendre une décision. La trouvait-il ingrate ? Allait-il s'impatienter et retirer sa proposition ? Regretterait-elle par la suite d'avoir raté une occasion en or ? Tout était si compliqué !

— Bonne nuit. Merci, pour la soirée, dit-elle une fois dans la maison.

Il enfonça les mains dans les poches et la regarda, un peu perdu.

— Non, ne me remercie pas. J'ai échoué dans ma mission. Je voulais que tu te sentes bien et que tu te détendes mais tu as l'air d'être encore plus stressée que lorsque je suis rentré, hier soir. Tu sais, au fond, je suis vraiment surpris que tu aies autant de réserves à mon égard. Je me demande pourquoi tu es restée toutes ces années ici.

Elle écarquilla les yeux, abasourdie.

— Tu veux que je parte ? Tu trouves que je fais preuve d'ingratitude ?

— Non mais j'aimerais que tu n'oublies pas que j'ai toujours tout fait pour vous aider, toi et Simon.

— Je ne l'oublie pas. Comment pourrais-je l'oublier ? Mais ta proposition de mariage de convenance…

— On pourrait en faire autre chose qu'un mariage de convenance… En toute simplicité.

— Mais…

— Il est tard, allons nous coucher. La nuit porte conseil.

Ellie se leva très tard le dimanche matin, juste au moment où Simon revenait de chez Martie.

— C'était bien ? lui demanda celui-ci en la voyant.

— Oui, très bien ! lança-t-elle sans entrer dans les détails.

— Excellent buffet, super musique, ajouta Brett qui venait de la rejoindre pour se servir une tasse de café.

— J'ai entendu le téléphone sonner. C'était qui ? demanda-t-elle, la voix encore endormie.

— C'était Archie. Il aimerait voir tes cerfs-volants.

— Bonne idée ! Quand ça ?

— Je les ai invités à passer cet après-midi. On pourrait emmener du thé et un goûter au parc et tu pourrais leur faire une démonstration ?

— « Leur » ?

— Il vient avec Delia et Grace. La fille de Delia. Elle a environ ton âge, Simon.

— Génial ! Sauf qu'en général les filles ne savent pas très bien se servir des cerfs-volants. On prendra lequel, maman ?

— Tu n'as qu'à choisir. Moi, je vais préparer quelque chose pour cet après-midi.

— Ellie, tu n'es pas obligée de te mettre la pression. Détends-toi, on pourra toujours acheter un gâteau en ville.

— Je préfère le faire.

— Maman aime bien cuisiner, elle trouve ça thérioptique.

— Tu veux dire « thérapeutique » ?

— C'est ça !

— Allez, filez tous les deux et laissez-moi tranquille !

Simon obtempéra aussitôt puis Brett lui emboîta le pas.

L'après-midi fut idéal pour le cerf-volant : grand ciel bleu, petit vent frais et beau soleil.

Le parc offrait une vue imprenable sur la rivière. Ellie installa le festin du goûter sur l'une des tables de pique-nique de bois. Gâteau au gingembre, sandwichs salés, biscuits fourrés à la crème et aux fraises.

— Si j'avais su, j'aurais apporté quelque chose, dit Delia.

— Mais non, voyons ! Toi et Archie vous êtes donné beaucoup de peine pour la soirée d'hier, c'était la moindre des choses. En plus, j'adore faire des gâteaux.

Archie s'empressa de goûter les biscuits à la crème.

— Je ne comprends pas comment tu peux rester aussi mince avec toutes les sucreries que tu manges, lui dit sa femme sur le ton de la plaisanterie.

— Je suis en pleine croissance, je n'y peux rien ! dit-il tout en observant avec émerveillement un cerf-volant s'élever dans le ciel.

Grace, une jolie jeune fille blonde aux yeux bleus timides, prit son beau-père par la main.

— Tu veux bien m'apprendre à faire voler un cerf-volant ?

Simon n'avait pas perdu une miette de la scène.

— Si tu veux, je peux te montrer.

Ils passèrent deux heures formidables à s'amuser avec les cerfs-volants.

Pour l'occasion, Ellie avait revêtu un short et un chemisier à fleurs, et alors qu'elle faisait une démonstration de son savoir-faire, elle se sentit libre comme un oiseau et aussi enthousiaste qu'une petite fille. Mais il n'y avait pas que ça. Quand elle faisait voler ses cerfs-volants, elle se sentait capable de tout, et c'est là que les rêves les plus fous venaient à elle. Généralement, elle rêvait d'être reconnue dans son milieu professionnel pour son travail avec les enfants dyslexiques, de voler au-dessus du Serengeti en montgolfière, de naviguer dans le Pacifique Sud, de gravir l'un des pics de l'Himalaya, ou de voir le nom de son fils dans le *Livre des records*.

Aujourd'hui, ses rêves l'emmenèrent ailleurs. Elle aurait voulu pouvoir un jour être la femme mystérieuse, confiante et fascinante dont Brett Spencer ne pourrait plus se passer. Cependant, tout en faisant voler sa création, l'image de la femme idéale céda peu à peu à la place à une autre : celle de la vraie Ellie, qui vivait déjà sous le même toit que Brett. La femme « prête à l'emploi »...

A plusieurs reprises, elle sentit le regard de Brett se poser sur elle, l'examinant, la scrutant, la détaillant de la tête aux pieds.

En rangeant les cerfs-volants, Ellie eut un petit pincement au cœur en se rendant compte que Simon était tombé amoureux pour la première fois de sa vie. Jusqu'à présent, les filles n'avaient jamais joué un rôle important à ses yeux, mais Grace, en se montrant une élève assidue, avait conquis son cœur de jeune homme.

Elle les regarda tous deux, la gorge serrée.

— Dis donc, on dirait de vrais tourtereaux, dit Brett derrière elle.

— Je ne suis plus l'unique femme dans la vie de Simon. Tu sais, c'est dur pour une mère.

— Et si je te disais que tu es l'unique femme dans *ma* vie, ça changerait quelque chose ? murmura-t-il.

Ebahie, le cœur battant la chamade, elle crut vaciller.

Que répondre ? Le temps qu'elle retrouve ses esprits, Archie les rejoignit pour dire qu'il voulait passer commande de deux cerfs-volants. Le charme était rompu.

Après avoir rassemblé le matériel et le pique-nique, les deux familles se séparèrent.

De retour à la maison, Ellie prépara un plat de macaronis au fromage pour le dîner puis alla arroser le jardin.

C'est là que Brett la trouva, pieds nus, se régalant des fragrances de la terre humide.

— Je n'arrive pas à croire le temps que tu as dû passer dans ce jardin. C'est vraiment magnifique. Tu aimes jardiner ?

— Oui. Cela me change les idées. Quand je suis ici, j'oublie tout.

Elle resta quelques instants les yeux dans le vide, absorbée dans ses pensées.

— Au fait, pourquoi Delia et Archie ont-ils attendu aussi longtemps avant de se marier ?

— Parfois, il faut du temps avant de voir la réalité en face. Il a toujours été amoureux d'elle mais elle, en revanche… Je ne sais pas. Peut-être qu'elle avait envie de voir du paysage, de garder son indépendance. Elle est tombée amoureuse d'un homme marié avec qui elle a eu Grace, puis après des années d'attente et de promesse, l'homme en question lui a annoncé qu'il ne quitterait jamais sa femme.

— C'est formidable qu'ils soient enfin ensemble, dit-elle en arrosant les roses.

Brett la suivait, l'aidant à démêler le tuyau dès qu'il y avait un nœud.

— Il a fallu trois ans à Archie pour arriver à convaincre Delia que ce qu'il ressentait pour elle était véritablement de l'amour et non de la pitié.

— C'est lui qui t'a raconté ça ?

— Oui. Tu ne trouves pas que notre situation est similaire ?

L'espace d'un instant, le tuyau arrosa l'allée et non plus les fleurs.

— Il y a une énorme différence entre toi et Archie McKinnon.

— Pourquoi ? J'ai parfois l'impression que tu penses que j'agis envers toi par pitié.

— C'était vrai, au moins au début, avoua-t-elle en s'avançant vers l'hibiscus.

Le tuyau était de nouveau emmêlé.

— Bon sang ! jura-t-il, tu peux arrêter de bouger sans arrêt, Elvira Madigan ?

— J'aimerais autant que tu ne m'appelles pas comme ça.

— Je t'ai déjà dit que je trouvais ça très joli.

— Je t'ai aussi raconté l'histoire tragique liée à mon nom.

— Ellie… trouves-tu que ta vie est tragique ?

Ellie fut déstabilisée par la question.

— Non, pas du tout.

— Alors, quel est le problème ?

Elle lui lança un regard furtif, presque coupable.

— Quand je vois deux personnes aussi amoureuses, je ne peux pas m'empêcher de les envier. C'est normal, non ?

— Pourquoi ? Tu ne pourrais jamais envisager de vivre la même chose ou de ressentir ça pour moi ?

Elle ouvrit la bouche, prête à rétorquer que ce n'était pas le problème, mais elle se tut : le piège était en train de se refermer autour d'elle…

Feignant de n'avoir rien entendu, elle continua l'arrosage.

Mais le tuyau lui fut aussitôt retiré des mains.

— Brett, je n'ai pas terminé !

— Eh bien moi, j'en ai assez de démêler le tuyau et de ne pas avoir une véritable conversation avec toi.

Il posa les mains sur ses épaules et la fit se tourner vers lui, le visage inhabituellement fermé, les traits tendus. Puis il soupira et son expression devint interrogatrice.

— Tu es dure en affaires, tu le sais ? Mais je suis d'une nature conciliante, donc voilà ce que je propose : on efface tout et on recommence.

— C'est-à-dire ?

Il la lâcha.

— Tu verras. Au fait, Chantal a appelé pour dire bonjour.

— Ah bon ? Qu'a-t-elle dit ?

— Qu'elle avait sous-estimé Dan.

— Oh…

— Quel genre de conseils lui as-tu donné ?

— Je lui ai dit de persister tout en restant discret, dit-elle, gênée.

Brett sourit.

Il l'attira à lui pour déposer sur ses lèvres un baiser d'une délicatesse inouïe. Sentant qu'elle l'invitait à aller plus loin, il se rapprocha d'elle, approfondissant le baiser. Lorsqu'il mit fin à leur étreinte, il tremblait.

— Je dois persister… jusqu'à quel point ? demanda-t-il d'un ton sérieux.

Haletante, elle rougit.

— Tu te rends compte qu'en cet instant précis Simon est la seule raison qui nous empêche de rentrer faire l'amour ?

C'était vrai mais hors de question de le conforter dans son idée. Physiquement, c'était un supplice d'envisager de s'unir à lui alors que ce n'était pas possible. Mentalement, se dire que ça ne devait surtout pas arriver était insupportable. Et au plan sensuel, c'était le paradis… S'abandonner pleinement à son étreinte, sentir sa barbe frotter contre ses joues, être touchée là où elle voulait être touchée…

Lorsqu'il desserra son étreinte, elle était folle de désir.

— Mais Simon ne sera pas toujours présent, dit-il en lui caressant légèrement la joue d'un doigt, avant de disparaître.

Le lendemain, lundi, Gemma Arden appela pour dire qu'elle avait un empêchement. Elles se mirent d'accord pour se voir deux semaines plus tard.

Le mardi matin, Ellie se souvint que Brett avait proposé de « tout effacer pour recommencer ». Elle avait eu beau y réfléchir, elle ne voyait toujours pas ce qu'il avait voulu dire.

Le mardi soir, elle avait une idée plus précise.

Au dîner, Brett fit une série de suggestions. Le samedi suivant, il suggéra aux McKinnon de se joindre à eux pour aller au cinéma voir une nouvelle comédie. Simon manifesta beaucoup d'enthousiasme pour le projet mais se demanda si le film plairait aux adultes.

— Je crois que pour Archie, ça ne posera pas de problème. Et toi, Ellie, qu'en penses-tu ? s'enquit Brett.

— C'est une excellente idée.

— Parfait. Si on y va l'après-midi, on pourrait manger ensemble après la séance.

Il se resservit avant de poursuivre l'ordre du jour.

— Je propose aussi d'engager une femme de ménage.

— Oh ! ça ne me dérange pas de faire le ménage.

— Moi, ça me dérange. Tu as trop de talents pour servir de gouvernante à deux gars comme nous. Je suggère d'employer quelqu'un qui viendrait deux fois par semaine pour nettoyer et repasser. Nous n'allons pas t'ôter ton tablier de cuisinière, ce serait vraiment une erreur de notre part. N'est-ce pas, Simon ?

— Tout à fait d'accord, acquiesça-t-il en regardant sa maman comme s'il la voyait pour la première fois.

— Je voulais aussi vous dire qu'on m'avait offert un chien.

— Super ! s'écria Simon.

— Quelle race ? Et qui te l'a offert ?

— Un de mes collègues. Ils ont huit chiots, des bouviers, et on peut en prendre un dans deux semaines.

— Un bouvier ? C'est mon chien préféré. Maman, tu veux bien ?

Elle hésita, consciente que Brett la scrutait.

Et si Brett repartait ? Et si Simon et elle devaient emménager ailleurs ? Elle en voulait à Brett. Ce chien serait comme un point d'ancrage et rendrait leur départ encore plus difficile.

— Maman, je jure que je m'en occuperai. Je l'emmènerai aux séances de dressage le samedi matin.

Ellie scruta ses beaux yeux bleus. Il avait envie d'un chien depuis si longtemps ! Comment refuser ?

Elle soupira intérieurement.

— D'accord…

Son fils vint l'embrasser tout en poussant des cris de joie, mais Brett ne dit rien. Soit son imagination lui jouait des tours, soit elle lut dans ses yeux une lueur de satisfaction.

Mais il sortit après le dîner et elle n'eut pas le temps de le questionner ou de remettre en doute ses méthodes.

Le mercredi soir, il revint à la maison avec un ordinateur.

— Génial !

— Simon…, dit Ellie pour ne pas se laisser déborder.

Mais son fils se trouvait déjà dans un autre monde…

— Maman et moi avons suivi des cours d'informatique. On a fait une cagnotte pour s'acheter un ordinateur.

— Simon, notre cagnotte ne couvrirait pas un dixième du prix de cet ordinateur. Et Brett n'a sûrement pas envie qu'on se serve de son ordinateur de travail.

— Elvira Madigan, laisse-moi t'expliquer la situation : nous avons passé une commande d'ordinateurs et nous nous sommes aperçus qu'il y en avait un en trop. Je l'ai donc racheté en me disant qu'il pourrait servir ici. Pour ce qui est de mon travail, je continuerai à le faire sur mon ordinateur portable.

— Brett, j'aimerais te parler en tête à tête.

— Pas de problème, j'allais justement partir chez Martie ! lança Simon avant que Brett n'ait eu le temps de répondre. Au fait, le dîner sera prêt quand, maman ?

Ellie le regarda comme si son fils venait de lui demander s'il avait le temps de faire un saut sur la lune.

— Le dîner ? Ah, euh… Disons dans une heure.

— Super. Je vous laisse régler vos affaires, dit Simon en vissant sa casquette sur la tête et en quittant la pièce d'un pas nonchalant.

— Parfois, j'ai envie…

— De l'étrangler ? C'est normal. Ma mère avait le même problème.

— C'est incroyable. Si vous continuez ainsi, vous allez finir par me faire perdre la tête !

— Je ne vois pas pourquoi tu te mets dans tous tes états pour un ordinateur qui allait prendre la poussière dans un laboratoire. J'ai pensé qu'il serait plus utile ici.

— Tu n'aurais pas pu le rendre et te faire rembourser ?

— Peut-être, mais j'ai pensé à toi et aux recherches que tu avais envie de faire dans le cadre de ton travail.

Ellie s'affaira autour de la gazinière, déplaçant bruyamment des casseroles.

— Parce que tu crois que j'ai le temps de faire des recherches ?

— Justement, si on prend une femme de ménage, tu pourras te consacrer aux choses que tu aimes.

Ellie soupira puis se tourna vers lui.

— Brett, tu essaies de m'acheter ! Tu fais tout pour me retenir ici et tu te sers de Simon pour parvenir à tes fins. J'ai enfin compris ce que tu avais derrière la tête quand tu as proposé de repartir de zéro. Ton nouveau plan équivaut à du chantage. Tu as même trouvé un chiot de la race préférée de Simon. C'est diabolique…

— Tu exagères. Cela n'a rien de diabolique. Je ne savais pas que c'était sa race préférée. La plupart des garçons apprécient la compagnie des chiens. D'après ce que j'ai compris, toi aussi tu as essayé d'égayer la vie de Simon, par tous les moyens, même au prix de liaisons douteuses, voire désastreuses.

En l'entendant, Ellie vit rouge instantanément. De quel droit osait-il juger ainsi sa vie sentimentale ?

Elle s'empara d'un manche de casserole.

— Si tu dis encore un mot sur mes relations passées, j'agirai en mon âme et conscience et je ne le regretterai pas.

Il s'avança vers elle et lui prit le poignet.

— Ellie, pourquoi réagis-tu de manière aussi excessive ?

— Tu te trompes. J'essaie simplement de nous éviter de commettre une terrible erreur, dit-elle d'un ton ferme, alors qu'il la dominait de toute sa hauteur.

— Une terrible erreur ? Tu y vas un peu fort. Tu le penses vraiment ? Tu n'aimes pas notre vie ? Tu n'as pas envie de continuer ainsi ?

— Si, mais…

— Tu n'as pas encore décelé chez moi des habitudes qui t'insupportent au plus haut point ?

— Non… Enfin, si, tu ne recules devant rien pour atteindre le but que tu t'es fixé.

Il lui adressa un petit sourire timide.

— Mes actions et mes décisions t'ont-elles jamais nui, à toi ou à Simon ?

— Non. La plupart du temps, tu as raison et tu agis pour notre bien, j'en suis consciente. Mais qu'arrivera-il quand tu n'auras plus envie de moi ? Qu'adviendra-t-il de Simon ?

— Ou qu'adviendra-t-il d'Elvira Madigan ?

— Simon et moi sommes liés pour toujours, répondit-elle, terrifiée à l'idée qu'il puisse lire dans son cœur.

Brett la scruta, la détaillant point par point, intensément.

— C'est un risque, mais nous ne serions pas les premiers à tenter l'aventure. Et puis, il n'y a pas que l'attirance physique qui nous unit.

— Brett, je suis dans cette maison depuis onze ans, lâcha-t-elle malgré elle, sans savoir ce que cette phrase voulait dire, pour elle, pour lui, pour eux.

— Les choses évoluent, les gens changent — ou pas. Tu me fascinais il y a onze ans, même si je n'ai rien fait pour provoquer quelque chose entre nous, et tu me fascines encore aujourd'hui.

— Et entre les deux ?

— Entre les deux, nous avons chacun vécu notre vie. Pourquoi t'obstines-tu à ne pas vouloir tenter l'aventure ? Je suis sûr que ça te plairait.

Elle cligna des yeux, comme si elle prenait enfin conscience de la situation.

— Je dois penser à Simon.

— A ce propos, j'ai échafaudé un projet, mais je voulais d'abord t'en parler.

— Quoi ? Tu veux l'envoyer dans un pensionnat ?

— Mais non, voyons ! Pourquoi lui aurais-je proposé d'avoir un chien si c'est pour l'envoyer dans un pensionnat ? Là, tu aurais raison, ce serait vraiment illogique.

— Avec toi, je me méfie.

— Pourtant, je peux t'assurer que je suis digne de confiance… Et je ne voulais pas te parler de pensionnat. Tu te souviens que c'est moi qui ai géré la succession de Tom ?

— Oui.

— J'ai gardé toutes ses affaires personnelles. Des photos, sa batte de base-ball, des clubs de golf, sa cravate d'école, le stylo qu'il a gagné lors d'un concours de mathématiques, etc. Je me suis dit que la prochaine fois que Simon parlerait de lui, je pourrais lui montrer, si tu es d'accord.

Ellie avait les larmes aux yeux.

— C'est plutôt oui ou plutôt non ? s'enquit-il doucement.

Ses épaules s'affaissèrent et elle baissa la tête.

Il la prit dans ses bras.

— Tu sais, Ellie, je t'admire beaucoup. J'admire ton humour, ton esprit vif, ton courage, ton talent culinaire, ton dévouement professionnel, et l'âme libre que je vois en toi quand tu fais voler tes cerfs-volants.

Il s'éloigna d'elle pour pouvoir croiser son regard. Une lueur de surprise animait ses yeux noisette.

— Tu ne pensais pas que je m'en rendais compte ?

— Non.

— Et j'admire aussi la façon dont ton corps peut être parfois si… expressif, dit-il en fixant délibérément sa poitrine.

Cette fois, Ellie eut la chance de son côté. Elle portait une robe abricot sans manches, au col carré. Non seulement la coupe était ample mais le tissu masquait à merveille toute réaction physique inconvenante.

Quand il comprit la situation, il lui adressa un clin d'œil amusé signifiant qu'elle venait de remporter la bataille.

Ce qu'elle fit ensuite le surprit : se libérant de son emprise, elle le contempla avec un sérieux inhabituel. Puis elle s'avança vers lui, prit son visage entre ses mains et lui murmura :

— Moi aussi, je peux jouer à ce petit jeu, Brett Spencer.

— Je n'en ai jamais douté, murmura-t-il, soudain hypnotisé par ses lèvres brillantes, son parfum enivrant, la finesse de ses traits.

Posant les mains sur son torse, elle se rapprocha de lui.

Il l'encercla de ses bras, de telle sorte que sa silhouette svelte et délicate vint se lover contre son corps. Cette étreinte le bouleversait, et sans le vouloir il laissa échapper un soupir de plaisir.

Elle sourit, sans pouvoir réprimer une expression de triomphe, puis elle se mit sur la pointe des pieds et l'embrassa.

Au moment où il tentait de lui rendre son baiser, elle se déroba.

— Ellie, pourquoi fais-tu ça ? demanda-t-il à voix basse, visiblement frustré.

Elle lui lança un regard sensuel et taquin.

— Pour que tu réfléchisses.

— Que je réfléchisse ?

— Tu n'arrêtes pas de me dire de réfléchir, et tu as raison, alors à ton tour ! Tu penses me connaître, mais en réalité tu as encore un long chemin à parcourir...

Sur ces mots, elle passa dans le salon mettre le couvert, comme si de rien n'était.

— Et l'ordinateur ? dit-il, revenant lui aussi à des considérations terre à terre.

— Il peut rester chez nous si tu t'engages à ne plus essayer de nous acheter.

— Oh ! merci, quelle générosité ! ironisa-t-il.

7.

Après s'être renseignés, Brett et Simon entreprirent de construire une niche pour le chien.

L'ordinateur fut installé et une femme de ménage recrutée sur les conseils et recommandations de Delia. Au bout de la première journée, Ellie eut l'impression qu'on avait empiété sur son territoire, malgré le sol qui reluisait et la montagne de linge fraîchement repassé.

— Tout va bien ? lui lança Brett alors qu'il repartait dans le garage où Simon et lui étaient en pleine effervescence.

Il tenait une scie dans une main et un mètre-enrouleur dans l'autre, deux outils qu'elle utilisait pour fabriquer des cerfs-volants et avait accepté de leur prêter.

Elle était assise à la table de la cuisine, le regard dans le vide.

— Oui.

— Tu n'es pas contente d'avoir une maison resplendissante sans avoir dû lever le petit doigt ?

— Si, mais j'ai du mal à me faire à l'idée.

— Peut-être que quand la femme de ménage vient, tu devrais sortir pour ne pas avoir l'impression de gêner ?

— Oui, tu as raison. Et je n'ai pas l'habitude de donner des ordres.

— Il ne faut pas voir ça ainsi. Il faut se montrer cordial en toute circonstance, prendre le thé avec elle de temps à autre, mais toujours t'assurer que c'est toi qui es aux commandes et qu'elle fait bien ce que tu veux qu'elle fasse.

— Comment sais-tu tout ça ? demanda-t-elle, amusée.

— J'ai toujours dû gérer des employés et des équipes. C'est une technique universelle, quel que soit le domaine d'activité. Au fil du temps, j'ai appris que la clé était de se montrer amical, compréhensif et respectueux, tout en restant ferme pour s'assurer que le travail soit fait et bien fait. En revanche, construire une niche, c'est une autre paire de manches, et s'il y a une technique universelle je ne suis pas dans le secret des dieux !

— Alors pourquoi t'être lancé dans ce projet ?

Il la regarda, frustré.

— Il s'agit d'une boîte recouverte d'un toit. Je pensais que ce serait simple comme bonjour.

— Tu veux de l'aide ?

Il affecta de prendre un air digne, bombant le torse.

— Non, merci. Ma fierté masculine a beaucoup souffert ces derniers temps, donc je préfère continuer seul et aller jusqu'au bout.

— Ta fierté masculine ?

— Oui, et tu y es pour beaucoup, murmura-t-il.

— Je crois qu'il vaut mieux que tu te concentres sur la niche, en effet !

Sans réagir, il regagna le garage.

De nouveau seule, elle pensa à la trêve qui régnait depuis quelques jours au 3 Summerhill Crescent. Avait-elle vraiment poussé Brett à réfléchir à la situation ? Si oui, quel était le fruit de ses réflexions ? Et quelle serait la prochaine étape de son plan ?

La prochaine étape fut de rater sa cible et de s'écraser le doigt d'un coup de marteau. Il hurla et jura au point d'ameuter tout le voisinage, voire tout Brisbane.

Ils se rendirent aux urgences où on lui fit une radio. Par chance, le doigt n'était pas cassé mais gravement contusionné. On lui posa une attelle pour immobiliser la main et réduire la douleur, puis il fut libre de rentrer.

Une fois rentrés, ils préparèrent un thé pour se remettre de leurs émotions.

— Je croyais que les médecins étaient agiles, dit Ellie.

Il la regarda d'un air renfrogné.

— Les chirurgiens, oui. Mais pas les médecins, enfin, pas tous.

— Mais à l'université, tu apprends forcément des opérations chirurgicales de base, non ?

— Il y a une grande différence entre construire une niche et faire des points de suture.

— Maman, arrête de l'embêter ! Tu sais, Brett, il ne faut pas t'en faire. On ne peut pas être bon partout. Le papa de Martie est un super bricoleur et il a des millions d'outils. Je suis sûr qu'il voudra bien terminer la niche. Bon, je suis fatigué, je vais me coucher. Bonne nuit…

— Bonne nuit, répondirent Brett et Ellie en chœur.

— Simon a raison, reprit Ellie. On ne peut pas être bon partout.

— J'en suis conscient et cela ne fait que renforcer ma frustration.

Elle éclata de rire.

— Franchement, il n'y a rien de drôle.

— Soit, dans ce cas le sujet est clos.

Il lui lança un regard noir alors qu'elle buvait une gorgée de thé. Après avoir reposé sa tasse, elle croisa les mains sur ses genoux.

— Cela ne veut pas dire que tu dois arrêter de me parler.

— Que veux-tu dire ? demanda-t-elle.

La vue de sa main gauche immobilisée raviva sa frustration.

— En fait, je n'ai pas envie de parler. J'ai envie de quelque chose de très différent.

— De quoi donc ? lança-t-elle, sentant qu'elle était tombée dans le piège.

— J'aimerais que quelqu'un m'amène dans une chambre et me fasse l'amour, puis me tienne dans ses bras jusqu'à ce que je m'endorme. En bref, j'aimerais qu'on s'occupe de moi.

L'espace d'un instant, Ellie fut tentée de céder, perdue dans la profondeur de ses yeux argentés. L'embrasser, le réconforter, lui donner du plaisir, en prendre elle-même, se sentir désirée… Oui, tout cela était fort alléchant. Mais c'était hors de question, se rappela-t-elle.

Elle se leva d'un bond.

— Brett, si jamais je décidais de te prendre au mot, je crois que ce serait mieux que tu aies l'usage de tes deux mains. Mais si tu as vraiment mal, j'ai un antidouleur que tu peux prendre pour t'aider à dormir.

— Etant donné mon état émotionnel, il me faudra bien plus qu'un antidouleur pour trouver le sommeil.

— Mais non, tu verras, tout ira bien. Bonne nuit.

— Attends…, souffla-t-il en se levant.

Il glissa son bras valide autour de sa taille et l'attira vivement à lui, observant avec plaisir la lueur de surprise dans ses yeux.

— Je me suis dit que j'allais te faire une petite démonstration de ce dont je suis capable avec un seul bras.

Inclinant la tête, il s'empara fougueusement de sa bouche, lui indiquant qu'il n'était pas prêt à abandonner la bataille.

Après avoir terminé sa démonstration, il s'arracha à elle.

— Voilà, bonne nuit à toi aussi, Elvira.

Elle passa la langue sur ses lèvres meurtries et posa une main sur son cœur dans le but de le calmer, tandis que son corps était en proie aux plus vives émotions. Comme elle le détestait de la bouleverser ainsi !

Elle lui lança un regard noir.

— Etait-ce une tentative pour restaurer ta fameuse fierté masculine ?

— Tu es perspicace, mais il n'y a pas que ça.

— Tu as le don de me mettre hors de moi. Si tu n'étais pas déjà blessé…, dit-elle, mâchoires et poings serrés.

A sa grande surprise, il s'empara d'une de ses mains, lui desserra les doigts, puis embrassa le creux de sa paume.

— Allez, Ellie, il est l'heure d'aller se coucher. La comédie a assez duré.

Il lui rendit sa main puis quitta la cuisine.

Ellie se coucha mais ne trouva pas le sommeil.

Tout d'abord, elle en voulait aux hommes de la terre entière. Surtout à ceux qui pouvaient vous embrasser contre votre gré quand ils sentaient que leur virilité était en danger ou bafouée.

Finalement, le ressentiment laissa place aux larmes et à une impression de confusion… et de solitude. Elle se sentit soudain si seule, si perdue et si malheureuse qu'elle se leva à plusieurs reprises, prête à sortir de sa chambre pour rejoindre Brett. Mais chaque fois, la raison l'emporta et la fit se raviser.

« Moi aussi, j'aimerais bien qu'on s'occupe de moi ! » pensa-t-elle, désemparée.

Ils venaient de retrouver les McKinnon à l'extérieur du cinéma.

— Que t'est-il arrivé ? lança Archie en voyant Brett.

— Oh ! rien.

— Ce sont des choses qui arrivent à tout le monde, ajouta Simon.

— Merci, j'apprécie ton soutien moral, mais malheureusement je crois que ça n'arrive pas à tout le monde. Cela dit, moins on en parlera, mieux je me porterai. Allons-y, dit-il en les guidant à l'intérieur.

Delia lança un regard complice à Ellie, et celle-ci en profita pour lui raconter l'épisode.

— Mais ne lui dis rien car il m'en voudrait à mort.

— Motus. Ah, les hommes !

— Ne m'en parle pas ! reprit Ellie, contente d'avoir trouvé une alliée.

Munis de leurs billets et de quelques cornets de pop-corn, ils se dirigèrent vers la salle pour prendre place.

Presque deux heures plus tard, tous émergèrent du cinéma, tout sourires.

Ils dînèrent ensemble en terrasse puis se séparèrent.

Lorsqu'ils furent rentrés, Simon alla se coucher après un bref passage par la salle de bains, si bien que Brett et Ellie se retrouvèrent seuls dans le salon.

— J'ai passé une bonne soirée, dit Ellie, simplement.

— Moi aussi. J'étais content que Simon et Grace en profitent bien. J'ai eu l'impression que le film t'avait bien plu aussi.

— Oui, je peux me montrer assez bon public. J'aime bien ce genre de film. Et ton doigt ?

— La douleur est lancinante, mais c'est supportable.

Elle hésita.

Il attendait.

— Tu voulais dire quelque chose ? s'enquit-il enfin.

— Non, rien.

Il lui lança un sourire aguicheur puis l'observa, langoureusement. On aurait dit un fauve tentant d'appâter sa proie, prêt à lui bondir dessus et à n'en faire qu'une bouchée.

— Je vais me coucher, déclara-t-elle enfin.

— Excellente idée. Je crois qu'une bonne nuit de sommeil nous fera du bien.

Le sous-entendu n'échappa pas à Ellie. La veille, il avait dû passer une nuit aussi agitée que la sienne.

— En plus, demain c'est jour de marché, et je dois me lever très tôt.

Ellie adorait vendre ses cerfs-volants. Cela lui procurait une joie immense d'avoir son propre stand.

Sur ce marché, on trouvait des habits, des produits frais, des plantes, des fleurs, des œuvres d'art, de l'artisanat, des confitures maison, des biscuits, des gâteaux… et un seul stand de cerfs-volants. De plus, elle avait récemment fait l'acquisition d'une marquise pour se protéger contre la pluie et le soleil. Elle avait aussi deux chaises pliantes et un panier à pique-nique.

Alors qu'elle se versait une boisson fraîche, elle vit Chantal s'approcher.

— Ellie !

— Chantal, quelle bonne surprise !

Elle lui offrit quelque chose à boire. Chantal accepta volontiers, se laissant tomber sur l'une des chaises pliantes. Elle était vêtue d'un short très court et d'un haut de maillot de bain.

— Quelle chaleur ! dit-elle tout en se servant de son chapeau comme d'un éventail.

— Tiens, voilà une limonade maison, bien fraîche.

— Merci.

— Dis, j'espère que tu ne me détestes pas.

Chantal examina son verre, puis leva vers elle ses yeux violets admirables.

— Disons que ça m'a traversé l'esprit…

Ellie ouvrit la bouche, prise de panique, puis voyant que Chantal éclatait de rire, elle se détendit.

— Tu sais à quel point Dan peut se montrer persistant…

Ellie fit la grimace.

— Malheureusement, c'est moi qui lui ai donné ce conseil.

— Et c'est ce qui explique ma présence ici, figure-toi

Ellie écarquilla les yeux.

— C'est Dan qui t'a convaincue de venir ? Il est là ?

— Oui ! Nous passons des moments charmants tous les deux.

— Où est-il ? Il sait que j'ai mon stand ici, déclara-t-elle, tentant de masquer son étonnement face à la situation.

— Comme il voulait regarder une démonstration de trains miniatures, j'ai décidé d'aller faire un tour. Il savait sûrement que j'allais te rencontrer. Ce que les hommes peuvent être bizarres, parfois !

Leurs regards se croisèrent.

— Brett t'a parlé de moi ? s'enquit Ellie.

— Il m'a dit qu'il comptait t'épouser, quoi qu'il arrive.

Ellie s'immobilisa, choquée.

— Quoi ? Tu ne le savais pas ?

— Eh bien… si, enfin, non… Il pense que c'est la meilleure solution pour Simon.

— Et pour toi ?

Ellie reporta son attention sur sa limonade, incapable de faire face à la perspicacité de Chantal.

— Depuis quand es-tu amoureuse de lui ?

La question resta quelques instants en suspens.

— Depuis qu'il m'a secourue un matin, près d'un parcmètre. J'ai eu cette révélation il y a peu de temps et je trouve ça incroyable.

— Pourquoi ?

Ellie hésita.

— Je t'ai raconté mon histoire avec Tom. L'épisode du parcmètre est survenu quelques mois après sa mort et je me sens coupable. C'était il y a onze ans…

Chantal se pencha vers elle.

— Chérie, ces choses-là arrivent. Si ça peut te rassurer, je suis rentrée en Australie pour me fiancer. Dans l'avion, je suis tombée sur Brett Spencer et en atterrissant, j'avais décidé d'annuler mes fiançailles. On ne peut pas tout contrôler, et surtout pas notre cœur.

Ellie sourit, amusée par l'anecdote.

— Tu essaies de me dire que je ne suis pas seule dans mon cas ?

— Oh ! non, onze ans, là, tu es dans une catégorie à part. Mais dans tous les cas, je vais te dire ce qu'il faut préserver à tout prix.

Ellie l'interrogea du regard.

— Quoi donc ?

— Ton amour-propre.

Ellie regarda le corps de Chantal, sculpté à merveille.

— Avec ton physique, ça ne sera pas difficile.

— Non, le physique n'a rien à voir là-dedans. Si je me laissais aller, je serais aussi vulnérable que n'importe quelle femme. Mon amour-propre est ce que j'ai de plus cher au monde. Quand je commets une erreur, je tente tout de même d'aller de l'avant… Ce que j'essaie de te dire, c'est qu'il ne faut pas te sentir coupable d'être tombée amoureuse de Brett. Cette culpabilité t'empêche d'accéder à tes véritables sentiments Ce qui est arrivé est arrivé, c'est du passé, il faut regarder vers l'avenir, désormais.

— Mais…

Ellie ne trouva rien à redire à cet argument implacable.

— C'est bien ce que je pensais ! conclut Chantal, fière d'elle.

— Il n'y a pas que ça.

— Peut-être pas, mais c'est déjà un début. Qu'y a-t-il d'autre ?

— Il a l'air persuadé de pouvoir me rendre heureuse !

— Et alors ? Il vaut mieux ça que l'inverse, non ?

— Le problème c'est que même s'il en était capable, je ne sais pas si je pourrais lui rendre la pareille.

— Ce n'est pas un problème du tout. Si tu n'y arrives pas, tu passeras à autre chose. C'est la vie…

Ellie la dévisagea.

— Et Simon ?

— Il s'adaptera. Et si je ne m'abuse, Brett Spencer n'est pas du genre à faire n'importe quoi. Il tient à Simon et il fera toujours tout pour assurer son bien-être et son bonheur, quoi qu'il arrive.

« Quoi qu'il arrive… »

— Tu me conseilles de l'épouser ?

— Je crois qu'il est temps que tu cesses de te poser des questions. Et moi aussi, d'ailleurs.

— Tu penses à Dan ?

— Bien sûr. Je suis curieuse de voir comment notre relation va évoluer.

Ellie lui adressa un sourire qui venait du fond du cœur.

— Encore deux choses, Ellie. D'une part, n'oublie pas que les hommes se marient avec une chose en tête : le sexe. Si tu arrives à trouver un terrain d'entente dans ce domaine, l'affaire est dans le sac ! D'autre part, Brett Spencer m'a appris que malgré ce qu'ils en disent, les hommes préfèrent chasser qu'être chassés.

Un client approchait. Ellie se leva, riant aux éclats.

— Merci pour ces sages paroles, Chantal. Et à bientôt, j'espère !

— Tu as vendu beaucoup de cerfs-volants ? s'enquit Brett lorsqu'elle rentra du marché.

Il se prélassait au bord de la piscine, un journal à la main.

— Quatre. Une journée normale. Ton doigt va mieux ?

— Beaucoup mieux, merci. Pourquoi ne piques-tu pas une tête dans la piscine ? Tu as l'air d'avoir chaud.

— Bonne idée. Je vais d'abord vider la voiture. Où est Simon ?

— Le père de Martie les a emmenés voir une course de moto-cross. J'ai donné ma permission, j'espère que ça ne te dérange pas.

Elle fit la grimace.

— Oh ! ça te dérange ?

— Non, j'espère juste qu'en revenant il ne voudra pas se lancer dans le moto-cross.

Sa remarque fit rire Brett.

— Je vais t'aider à décharger ta voiture, dit-il en se levant.

— Avec ta main, ce n'est pas prudent. Je vais m'en sortir. Ne t'inquiète pas.

— Si, justement, je m'inquiète. Tu fais trop de choses.

— J'ai l'habitude. En tout cas, je suis contente de voir que tu es de meilleure humeur.

— Cela fait partie de mes qualités. Je ne suis pas toujours guilleret mais je ne boude pas dans mon coin pendant des jours.

— Ravie de l'apprendre !

Ils vidèrent la voiture ensemble, puis elle alla dans sa chambre pour enfiler un maillot de bain. Elle barbota tranquillement dans la piscine, puis en sortant elle découvrit que Brett leur avait préparé des margaritas.

— Quelle décadence ! lança-t-elle en prenant place sur une chaise longue.

— Disons que c'est une façon agréable de passer un dimanche après-midi.

— Je te l'accorde.

— Je me disais…

Elle se raidit. Allait-il réitérer sa proposition ?

— Ce mardi, c'est le premier mardi de novembre.

— La Melbourne Cup ?

— L'événement le plus couru du pays… et il s'avère que j'ai des tickets.

— Et alors ?

— Tu pourrais prendre quelques jours de congé, non ?

Elle le regarda d'un air étonné et quitta son siège.

— Tu veux dire que tu m'invites à assister à la Melbourne Cup avec toi ?

— Oui. Je ne vois pas pourquoi ça te surprend à ce point. Ce n'est pas comme si je t'invitais à aller sur la lune.

— Mais c'est à environ mille cinq cents kilomètres d'ici !

— En effet. Deux heures d'avion. Je ne proposais pas qu'on fasse de l'auto-stop.

— Pourquoi moi, Brett ?

— Pourquoi pas ?

Elle hésita.

— Mais… l'avion coûte une fortune.

— Cela ne te coûtera rien, et avant que tu m'accuses de vouloir t'acheter, ça ne me coûtera rien non plus.

— Comment ça ? Je ne comprends pas.

— J'ai obtenu des tickets par l'intermédiaire de la compagnie dont je suis actionnaire. Et j'ai des affaires de famille à régler là-bas.

— Ah bon ?

— Ma mère venait de Melbourne. J'ai hérité d'une maison qui appartenait à sa famille, dans la péninsule de Mornington. Pendant des années elle a été louée, mais le bail vient d'arriver à échéance. J'aimerais y jeter un œil pour décider si je veux la vendre ou la garder. Ainsi je ferai d'une pierre deux coups.

Il scruta l'horizon quelques instants puis se retourna vers elle.

— Je suis content que tu n'aies pas invoqué ton manque de tenues adéquates comme excuse. Cela n'aurait pas été très original.

— Je n'ai pas encore eu le temps de penser à l'aspect vestimentaire. Mais dans tous les cas, je crois que ce n'est pas une bonne idée.

— Nous partirions très tôt mardi matin, passerions deux nuits à l'hôtel et pourrions rentrer le jeudi. Le mardi nous irions directement à la Cup et le mercredi voir la maison à Mornington. Nous aurions chacun une chambre, si c'est ça qui t'inquiète.

— Merci, c'est gentil de vouloir me rassurer sur ce point mais je ne crois pas pouvoir prendre des jours de congé à la dernière minute.

— Simon peut aller chez les Webster. Il a même dit que ça te ferait du bien.

— Tu… tu…

Mais rien d'autre ne sortit de sa bouche.

— Tu as dit que tu avais remplacé tes collègues quand Simon était parti en voyage de classe. Tu as bien le droit de rattraper tes jours, non ? Et puis, soyons francs : nous sommes dans l'impasse. Je me suis dit que quelques jours loin d'ici nous aideraient peut-être à y voir plus clair.

Ellie prit une bonne gorgée de son cocktail. Etait-ce un ultimatum ? Il avait raison. Ils étaient dans l'impasse et ils ne pouvaient pas continuer comme ça éternellement.

— J'espère que tu ne crois pas à une tentative de séduction de ma part.

— Je dois dire que j'y ai pensé.

— J'en étais sûr !

— Avoue que c'est une idée étrange.

— Aux grands maux les grands remèdes. Ou préfères-tu rester dans un éternel flou artistique ?

Elle frémit.

— Soit. Si je peux me libérer de mes obligations professionnelles, je t'accompagnerai dans ce voyage sans rime ni raison.

— Voilà la réponse que j'attendais ! Et je peux t'assurer que ce voyage ne sera pas sans rime ni raison.

Le lendemain soir, Simon était assis sur le rebord du lit pendant qu'Ellie préparait sa valise.

— Tu ne peux pas aller à la Melbourne Cup sans chapeau.

— Cela s'est sûrement déjà fait, pourtant.

— Mais tu es ma maman et je veux que tu sois la plus belle, déclara-t-il le plus sérieusement du monde.

— Dans ce cas, sois rassuré, dit-elle en se dirigeant vers une boîte circulaire.

Elle en sortit un magnifique chapeau stylé vert pâle ornée d'un ruban blanc et vert formant un nœud très chic à l'arrière.

— Super ! s'exclama Simon.

— Attends, ce n'est pas fini.

Elle sortit de sa penderie une robe en lin près du corps assortie au chapeau et une paire de sandales à hauts talons.

Simon applaudit et lui demanda de porter toute la tenue

afin qu'il en ait la primeur. Elle s'exécuta, ravie comme une petite fille.

— Et voilà, tu trouves que tu peux être fier de ta maman ? demanda-t-elle en tournant sur elle-même.

— Et comment ! Je suis sûr que Brett sera aussi très fier de toi.

Elle fit la grimace.

— J'ai dû piocher dans les économies destinées à l'ordinateur.

— Mais nous avons déjà un ordinateur, et en plus, c'est pour la bonne cause !

— C'est-à-dire ?

— Tu as besoin de t'amuser un peu et moi je suis très content d'aller chez les Webster. En plus, on va finir la niche avec le papa de Martie, comme ça, mon chien aura un bel abri en arrivant chez nous.

Quand Ellie se coucha, ce soir-là, elle se tourna et se retourna longuement sans cesse dans son lit. Une chose la tracassait par-dessus tout : comment gérer la réaction de Simon si elle disait non à Brett ?

Puis elle repensa à sa conversation avec Chantal et à sa théorie sur l'amour-propre. Ou en était son amour-propre ? Etait-ce le problème ? Avait-elle peur de ne pas arriver à se montrer à la hauteur avec Brett ? Avait-elle peur de souffrir ? Avait-elle peur de s'en vouloir si cette histoire se soldait par un échec ?

Enfin, elle se souvint du conseil de son amie : en cas d'échec, il fallait se relever, et aller de l'avant.

Cette pensée la calma, et l'instant d'après elle se sentit sombrer dans un sommeil profond.

*\
* *

Comme Brett lui avait dit qu'ils iraient directement à Flemington en hélicoptère depuis l'aéroport de Tullamarine, Ellie s'habilla dès le matin dans la tenue qu'elle avait achetée pour l'occasion, mais garda son chapeau à la main. Elle n'avait pas oublié de prendre un imperméable car Melbourne était une ville réputée pour son climat très capricieux.

C'était une journée merveilleuse et un soleil éclatant les accueillit dans la vénérable enceinte de Flemington. Les roses étaient absolument fabuleuses et l'atmosphère animée était contagieuse. Quand ils entrèrent dans la tribune réservée aux membres, Ellie ne regretta pas un seul instant d'avoir investi dans une nouvelle tenue.

Mais surtout, elle était heureuse de sentir le regard de Brett sur elle. Il l'avait tout de suite complimentée en la voyant sortir de sa chambre le matin même. Elle lui avait retourné ses compliments car il était radieux, comme à son habitude, élégamment vêtu d'un costume bleu sur mesure, d'une chemise en coton blanc et de la cravate du club.

Elle se sentait à la hauteur de la situation et à la hauteur de son compagnon qui se révélait charmant et très attentif.

Au hasard des conversations et des rencontres, elle découvrit un pan de la vie de Brett qu'elle ignorait. Elle avait toujours su qu'il venait d'un milieu aisé mais elle n'avait jamais envisagé que ce fût à ce point, ni qu'il pût avoir autant d'influence.

Mais tout ceci passa vite à l'arrière-plan et ils ne tardèrent pas à se plonger dans l'atmosphère festive de cet événement tant attendu.

La tribune d'honneur offrait de nombreux privilèges. Ils purent s'approcher des chevaux et les caresser, sentir les roses qui ornaient le couloir menant à la piste, et profiter de la réception au champagne précédant la course.

Ils parièrent chacun sur un cheval puis montèrent dans les gradins pour regarder le spectacle proposé avant la course.

Entre autres, ils virent des parachutistes atterrir sur la piste et une fanfare parader le long des gradins.

Puis le moment tant attendu arriva.

— Je suis vraiment impatiente ! Tu as choisi quel cheval ?

— Je ne t'ai jamais vue dans cet état, Ellie.

Il lui donna le nom du cheval qu'il avait choisi.

— Excellent choix.

— Ah bon ? Tu connais cet animal ?

— Non, mais j'ai misé cinq dollars sur lui car j'aimais bien son nom. Au fait, puisque nous parlons de chevaux, tu comptes te remettre au polo ?

Il se rembrunit.

— Non, répondit-il enfin, simplement.

— Pourquoi ?

— Je n'ai pas le temps. Oh ! regarde ! Les chevaux se préparent.

Elle s'empara des jumelles qu'il lui tendait.

— Voilà, il est en place…

Quelques minutes plus tard, un voyant rouge clignotait au-dessus des barrières, indiquant que la course était sur le point de commencer. Puis sous le grondement de la foule, les chevaux se lancèrent sur la piste.

Environ trois minutes après le départ, Ellie se mit à sauter de joie et jeta son chapeau en l'air : leur cheval avait gagné !

Brett rattrapa le chapeau et la prit dans ses bras.

— Tu as vu ça ? C'est formidable !

— Toi aussi tu es formidable, murmura-t-il avant de l'embrasser avec fougue.

A cet instant, un changement étrange s'opéra entre eux, et l'intimité s'immisça dans leur relation. Ils n'étaient plus simplement un homme et une femme contents d'assister à la Melbourne Cup. Ils étaient un homme et une femme heureux d'être en compagnie l'un de l'autre

Ils quittèrent les gradins, main dans la main, et allèrent

se mêler à la foule. Ils trouvèrent un stand de souvenirs où ils achetèrent une casquette pour Simon et une pour Martie.

Avant de pouvoir sortir de l'enceinte, ils se retrouvèrent prisonniers d'une véritable marée humaine. Quand il la prit par la taille, elle posa sa joue contre son épaule, soudain envahie d'un profond sentiment de bien-être et de sécurité.

Une fois sortis, ils prirent place à bord d'une limousine qui les attendait pour les ramener à l'hôtel.

Brett avait réservé une suite avec deux chambres au sommet du Sofitel de Collins Street.

Ellie ne cessait d'admirer cet environnement luxueux et élégant.

— Merci pour cette merveilleuse journée ! Jamais je n'aurais cru que l'événement me plairait à ce point.

Il enleva sa veste et sa cravate.

— La journée n'est pas terminée.

Elle le regarda, confuse.

— Je me disais qu'on pourrait dîner dans le restaurant de l'hôtel, puis faire un petit tour au casino. Enfin, rien ne presse, tu peux te reposer un peu, si tu veux.

Ellie le dévisageait.

— Je… je ne sais pas ce que j'ai envie de faire.

Il s'approcha d'elle, mais ne la toucha pas.

Le mystérieux courant qui était passé entre eux dans les gradins devint presque palpable.

Elle fronça les sourcils, perplexe : était-ce du désir ? Oui, indéniablement. Mais différent des fois précédentes. Il s'agissait davantage d'un sentiment chaleureux, profond. Elle était ravie d'être en sa compagnie et flattée qu'il ait pris la peine d'organiser une aussi belle journée.

En cet instant précis, elle fut saisie de l'envie irrésistible de baisser sa garde et de lui dire qu'elle ne voulait qu'une chose : qu'il la prenne dans ses bras et l'emmène dans son lit.

— Ellie ? murmura-t-il.

Elle sourit.

— Brett, je ne veux pas me reposer, dit-elle en posant les mains sur son torse ferme et rassurant.

Il baissa vers elle un regard interrogateur.

— Je veux terminer cette journée extraordinaire de façon extraordinaire : avec toi, murmura-t-elle avant de se mettre sur la pointe des pieds pour l'embrasser.

Il la prit par la taille.

— D'accord, mais promets-moi de ne pas le regretter.

— Je ne le regretterai pas.

— J'ai envie de la même chose que toi et j'y pense depuis longtemps.

— Vraiment ?

— Oui, vraiment. Depuis que tu as jeté ton chapeau dans les airs, tout à l'heure.

— Et pourquoi cet acte en particulier ?

— Parce que je t'ai vue exprimer un profond sentiment de joie. Ce n'était pas la joie d'avoir gagné la modique somme de vingt dollars. Tu exprimais la joie de vivre, d'être là, de profiter de l'instant présent. C'était formidable de te voir être toi, enfin libérée.

— C'est exactement ce que je ressens. Je me sens libérée, s'exclama-t-elle avec un soupir d'aise.

Il l'embrassa langoureusement.

— Voyons si nous pouvons te libérer davantage, dit-il en resserrant son étreinte.

Comme elle vacillait de plaisir dans ses bras, il fit glisser la fermeture de sa robe et l'aida à s'en défaire.

En un clin d'œil, elle se retrouva devant lui uniquement vêtue de ses nouveaux sous-vêtements en dentelle qu'elle n'avait portés qu'une fois pour la fête d'anniversaire de mariage de Delia et Archie.

— Dis donc, tu es très sexy, Ellie ! Heureusement que je ne savais pas que tu portais ça ce matin, sinon je ne sais pas si j'aurais eu envie d'assister à la Cup, assura-t-il en laissant ses doigts glisser le long de son corps et en la couvant d'un regard ardent.

— Je ne t'aurais pas laissé faire.

— On t'a déjà dit que tu étais une femme coriace ?

— En cet instant, je me sens tout sauf coriace…

Elle laissa échapper un petit gémissement de plaisir.

Il venait de glisser la main dans son slip et déjà ses doigts exploraient son intimité.

Jetant la tête en arrière, elle se laissa envahir par une délicieuse vague de frissons.

— Je suis en feu, susurra-t-elle.

L'instant d'après, sa bouche virile vint se poser dans le creux de sa gorge puis il déposa une pluie de baisers jusqu'à la naissance de ses seins, ses doigts continuant d'explorer plus avant son intimité.

Soudain, il la souleva et l'emporta dans une chambre. Elle poussa un petit grognement de protestation lorsqu'il la posa sur le lit.

— Tu m'abandonnes déjà ?

— J'en ai pour une minute.

Et il tint parole, revenant tout aussi puissant, dur et nu.

Il la prit aussitôt dans ses bras et lui susurra de douces paroles tout en la caressant jusqu'à ce que la magie opère.

Enfin, il lui enleva ses sous-vêtements.

A présent, entièrement nue, offerte, désireuse de se soumettre à cet assaut charnel, elle était plus que jamais prête à assouvir la passion qui animait la moindre parcelle de son corps.

— Je suis aux abois. Prends-moi, je ne peux plus attendre.

— Mais si, je suis sûr que tu peux trouver la force de tenir encore un peu…

Après avoir embrassé ses seins, il descendit jusqu'à son nombril.

Elle lui saisit les bras, pleine d'ardeur.

— Brett…

Il leva vers elle ses yeux argentés.

— Ellie, nous devons prendre notre temps.

— Pourquoi ?

— Je veux que tu sois vraiment prête à m'accueillir en toi, dit-il en l'embrassant de nouveau dans le cou, la gorge, entre les seins.

Il continua de descendre, mais cette fois, il ne s'arrêta pas au nombril.

— Brett, je n'ai jamais été aussi prête de ma vie, le supplia-t-elle tout en saisissant ses cheveux à pleines mains.

Levant la tête, il la scruta sans mot dire.

— C'est un véritable supplice ! Que dois-je faire pour te convaincre que j'ai très envie de toi ? Brett !

La tension était palpable dans toute la pièce. Il la contempla encore quelques instants, en proie à la plus vive des ardeurs, puis, cédant à l'appel de la passion, il capitula et la prit avec fougue.

Après un corps à corps brûlant, le moment de libération arriva pour tous les deux. A l'unisson, ils se soumirent au tourbillon de plaisir qui les emportait au septième ciel.

8.

— Et maintenant, que veux-tu faire ?

Ellie ouvrit les yeux et sentit les mains de Brett autour de sa taille.

— Maintenant ? On va dîner au restaurant, faire un tour au casino et peut-être se promener le long de la Yarra. Que dis-tu de ce programme ?

— Je trouve que ce programme est bien trop dynamique pour un homme dans ma situation.

— C'est-à-dire ? Quelle situation ?

— Je suis ensorcelé, abasourdi, épuisé et j'ai le pouce meurtri.

— Oh ! je t'ai fait mal ? dit-elle en lui prenant la main. Je suis désolée...

Elle lui embrassa la paume, puis la plaça sur son sein durci par le désir.

Il gémit.

— Cela fait mal ? s'enquit-elle, feignant l'innocence.

— Non, mais comme cela me met dans un état de frustration intense, on peut parler de maltraitance.

D'un regard, elle lui signifia qu'elle n'était pas dupe.

— Et tu voudrais en plus m'imposer d'aller manger au restaurant, jouer au casino et marcher le long de la rivière ?

— Si tu as mal au pouce, je crois que ces activités seraient bien plus adaptées que tout autre projet que tu pourrais avoir en tête, affirma-t-elle avec un sérieux feint.

Il détailla son corps, merveilleusement svelte et soyeux, puis se plongea dans la profondeur de ses yeux noisette.

— Je crois qu'il faut revoir la nature du programme.

— Retire ta main et laisse-moi réfléchir à un autre plan, reprit-elle en venant s'allonger contre lui.

Quelques minutes d'étreinte plus tard, il lâcha enfin :

— Tu sais que ce nouveau plan peut me faire mourir ?

Elle le regarda droit dans les yeux, amusée.

— Je ne vois vraiment pas de quoi tu veux parler…

— Ah non ? dit-il en lui caressant les fesses.

Frémissante, elle poussa un gémissement de plaisir.

— C'est agréable, soit, mais je ne crois pas que je pourrais en mourir.

Il grogna tel un homme des cavernes puis n'y tenant plus, la pénétra.

Ainsi soudés par la passion, ils ondulèrent l'un contre l'autre jusqu'à l'extase.

— Tu as eu raison de moi, lança-t-elle d'un souffle quand elle recouvra l'usage de la parole.

Il lui retira quelques mèches humides du visage puis déposa un baiser léger et sensuel sur sa bouche enflammée.

— Je t'avais prévenue, plaisanta-t-il, tout en ne cachant pas sa fierté masculine.

Elle se blottit davantage contre lui.

— Je ne me plains pas du tout, loin de là. J'aime assez l'idée que tu puisses avoir raison de moi. C'est un sentiment unique.

— Merci, Mlle Madigan. Pouvons-nous à présent revoir le programme de façon plus réaliste ?

— Peut-être faut-il oublier la promenade le long de la Yarra ?

— Très bonne idée. Et que dis-tu de laisser tomber notre virée au casino ?

— Excellente idée ! Et pour ce qui est de s'habiller pour aller dîner au restaurant de l'hôtel…

— Je ne suis pas pour…

— Nous pourrions manger rapidement et remonter aussitôt ?

Il laissa ses doigts glisser le long de son corps.

— Le problème, vois-tu, c'est que pour le moment, je ne supporte pas de te voir habillée. Je suis sûre que tu ferais sensation si tu descendais au restaurant sans vêtements, mais je suis absolument opposé à cette idée donc…

— Donc nous devons envisager le room service.

— Ah, voilà, nous sommes enfin sur la même longueur d'ondes ! J'aime mieux ça, dit-il avant de prendre sa bouche.

Il s'arracha à elle et posa sur son corps un regard langoureux.

— Tout à l'heure, j'ai eu l'impression que tu étais montée au septième ciel comme l'un de tes cerfs-volants. A quoi pensais-tu ?

Elle lui caressa le bras, rêveuse.

— C'est drôle que tu dises ça, car j'avais justement l'impression d'être un cerf-volant emporté vers le firmament du plaisir. Mais j'ignorais que je pouvais…

— Que tu pouvais emmener un homme vers ces sommets ?

— Euh, oui, c'est ça.

— Alors ne l'oublie jamais, murmura-t-il en déposant un baiser sur ses lèvres brûlantes avant de se lever pour aller commander à manger.

Lorsqu'il revint dans la chambre, elle était sous la douche. Il alla la rejoindre.

— Bonne idée. A moins que tu n'aies changé d'avis sur le programme de la soirée ?

— Non, pas du tout, mais j'avais envie de me rafraîchir. Ensuite, j'enfilerai une petite tenue qui sera parfaite pour l'occasion.

— Ah oui ? Et quel genre de tenue ? s'enquit-il tout en se savonnant vigoureusement.

— De celles qu'on peut porter pour dîner dans une chambre d'hôtel, répondit-elle alors qu'elle levait les bras et que l'eau ruisselait le long de son corps.

— Bon sang ! lâcha-t-il en s'emparant de ses poignets d'une main.

Il détailla son corps de la tête aux pieds.

— Je n'ai jamais vu une aussi belle cascade.

Après l'avoir relâchée, il se mit lui-même sous le jet d'eau pour se rincer, et elle caressa les muscles fermes de ses bras.

— Dis donc, pour un docteur, tu es drôlement musclé !

— Cela t'étonne ?

Elle fit la grimace.

— Je ne sais pas. Le travail d'un médecin n'est pas très physique. Or tu possèdes un physique plutôt… alléchant.

Une fois la douche terminée, il la souleva pour la faire sortir de la cabine, puis l'entoura d'une serviette et en noua une autour de la taille.

— Je crois qu'il valait mieux arrêter là car la situation risquait de dégénérer…

Elle lui lança un regard étonné.

— Trois fois en trois heures… Je veux te laisser le temps de reprendre ton souffle, tout de même !

Elle se leva sur la pointe des pieds pour venir déposer un léger baiser sur sa bouche.

— Oh ! c'est très attentionné de ta part. D'ailleurs, à ce sujet, je voulais revenir sur la critique que j'ai formulée quand tu essayais de construire la niche du chien et que tu t'es malencontreusement blessé avec ton marteau. J'ai dit que tu manquais de dextérité, tu t'en souviens ?

— En effet. D'après toi je ne suis qu'un bricoleur et un médecin maladroit.

— Tu seras ravi d'apprendre que je retire ce que j'ai dit. Enfin, je maintiens que le bricolage n'est pas ton point fort, mais pour ce qui est de ton habileté… Au lit, en tout cas, tu n'en manques pas.

Il la regarda, les yeux doux et langoureux.

— Je n'ai aucun mérite puisque j'avais la compagne la plus délicate et la plus passionnée qui soit.

Le cœur d'Ellie se gonfla… De joie ? De fierté ? D'émoi ?

On frappa à la porte juste au moment où Brett allait la prendre dans ses bras.

— Tiens, le repas arrive à point nommé…

— Tu veux dire que la situation risquait de nouveau de s'envenimer ?

— En effet, tu lis dans mes pensées.

Il prit une mèche de ses jolis cheveux et la remit derrière son oreille pour mieux admirer son visage et surtout ses yeux éclatants.

— Je vais aller préparer la table pendant que tu enfiles la fameuse tenue dont tu m'as parlé.

— Parfait ! J'en ai pour un instant. Je te rejoins dans le salon.

— Mais ne tarde pas trop car je pourrais vite me sentir seul, dit-il tout en enlevant sa serviette pour enfiler un caleçon.

Il sortit de la chambre, prenant le soin de refermer derrière lui.

Ellie scruta la porte quelques instants, subjuguée, l'esprit absent. Puis elle aussi ôta sa serviette et se mit à danser à travers la chambre. Impossible de se souvenir de la dernière fois qu'elle s'était sentie aussi bien, aussi belle, aussi épanouie.

Se plaçant devant la glace, elle fit même une petite révérence à son reflet et se gratifia d'un large sourire de satisfaction, mais aussi d'encouragement.

Puis elle ouvrit le sac et en sortit le négligé et la nuisette argentés qu'elle avait achetés le jour où elle était allée à la soirée chez Delia et Archie.

La nuisette avait une encolure carrée. Décolleté lui aussi, le négligé se boutonnait à l'avant avec une multitude de perles. Ils arrivaient tous deux à mi-cuisse et lorsqu'elle tournait sur elle-même, le tissu soyeux bruissait délicieusement. Avant de la passer, elle se sécha les cheveux, mais avec ses boucles, elle n'eut pas besoin de fournir de gros efforts pour se coiffer. Elle n'oublia pas de mettre de la crème hydratante sur tout le corps.

Enfin, elle se rendit dans le salon, mais s'arrêta dans l'embrasure de la porte pour créer l'effet escompté.

— Oh ! lâcha Brett, occupé à ouvrir une bouteille de champagne.

Elle lui jeta un bref regard, les yeux emplis d'inquiétude.

— C'est la première fois que je porte une tenue pareille.

Il posa la bouteille.

— Ah bon ?

— Avant, je n'avais que des pyjamas en coton.

Il s'approcha d'elle, le regard énigmatique.

— Peut-on savoir d'où vient ce changement ?

— C'est toi qui m'as dit de m'acheter une nouvelle tenue pour la soirée de Delia et Archie et, ce jour-là, j'ai craqué.

— Une folie ?

Elle hésita.

— Ou bien était-ce un achat calculé ? murmura-t-il, tout en lui relevant le menton.

— Peut-être… Tu ne penses pas que c'est…

Il l'inspecta de ses yeux ardents et séducteurs.

— Je pense que c'est très joli et parfait pour dîner. Viens, dit-il en la prenant par la taille.

A présent tout à fait détendue, elle éclata de rire.

— Avec plaisir ! Et si c'est une bouteille de champagne que tu viens de déboucher, c'est parfait car c'est exactement ce dont j'ai besoin.

Il rit à son tour, déposant un baiser affectueux sur ses cheveux.

Ils mangèrent des huîtres, du rôti aux abricots, et en dessert une tarte aux poires avec une boule de glace.

— Je me suis régalée, annonça-t-elle, radieuse.

— Venant de toi, c'est un compliment.

— Après un repas aussi copieux, je crois que nous devrions envisager d'aller faire un footing.

— J'ai une meilleure idée. Bien moins sportive…

Il se leva, leur resservit du café et du champagne, puis mit tout sur un plateau qu'il posa sur la table basse.

— Installons-nous sur le canapé, ce sera plus confortable.

— Quelle journée ! s'écria-t-elle en se blottissant contre lui.

Puis elle se releva d'un bond.

— Je n'ai pas appelé Simon !

Il la reprit contre lui.

— Ce n'est pas grave. Pas de nouvelles, bonnes nouvelles. Tu pourras l'appeler demain matin.

Elle revint poser sa tête contre son torse, heureuse de se sentir entourée, protégée.

— Parle-moi de l'Afrique…

Il rejeta la tête en arrière, pensif.

— C'est un peu comme une maîtresse trop envahissante. Capricieuse, obstinée, et beaucoup plus belle qu'on ne le croit, si bien que, lorsqu'on est sur le point de se séparer d'elle, elle nous hante de nouveau, nous attirant entre ses griffes. La dernière clinique où j'étais a brûlé deux fois. La première fois, il s'agissait d'une cause naturelle, un coup de tonnerre, et l'autre, d'une erreur humaine. Quelqu'un a arrosé la plante qui se trouvait à côté d'un adaptateur.

— Qu'est-ce qui t'a donné envie de continuer, de garder espoir ?

— L'aide que nous ont apportée tous les villageois. Tout le monde a mis la main à la pâte pour reconstruire le bâtiment.

— C'est une belle histoire…

Elle resta pensive quelques instants.

— Quel est leur plus gros problème ? L'ebola ?

— Non. C'est le sida et la malaria.

— C'est encore très répandu ?

— Encore et toujours.

Il continua à lui raconter d'autres anecdotes sur l'Afrique. A mesure qu'elle l'écoutait, une question se forma dans son esprit : si un jour il repartait en Afrique, qu'adviendrait-il d'elle ?

Trop épuisée par cette longue journée, elle s'endormit avant de pouvoir réfléchir plus avant à la réponse.

Brett la regarda dormir quelques instants. C'était un spectacle merveilleux. Elle était belle, sereine. Finirait-elle un jour par accepter sa proposition de mariage ? Impossible de le savoir.

Sentant le sommeil le gagner à son tour, il serra dans ses bras sa conquête qui dormait à poings fermés.

Ellie fut réveillée par une bonne odeur de café.

Elle s'assit, s'étira et regarda l'heure sur son réveil. Son réveil n'était pas là. Elle n'était pas chez elle.

Mais oui, bien sûr ! Tout lui revint, soudainement. Tout ce qu'elle avait vécu n'était pas un rêve..

Sur ces entrefaites, Brett, beau comme un dieu, entra dans la chambre et vint déposer une tasse sur la table de nuit, à côté d'elle.

— Bonjour. Tu as l'air… surprise.

— Euh, oui. C'est du thé ?

— Oui. C'est ça qui te surprend ?

Elle le regarda, l'air confus.

— Oui, car j'ai senti une odeur de café en me réveillant.

— Si tu veux, tu peux avoir du café. J'ai aussi fait monter un petit déjeuner. Et une voiture nous attend en bas. Cela dit, je ne comprends toujours pas pourquoi une simple tasse peut avoir un tel effet sur toi, dit-il avec malice.

Elle sirota son thé en silence puis reposa la tasse.

— Si tu veux tout savoir, je me suis réveillée en pensant être à la maison.

— Et cela t'a choquée de te retrouver ici ?

— Oui, et aussi de repenser à la journée d'hier, avoua-t-elle, osant enfin soutenir son regard.

Il lui prit la main et l'embrassa.

— Tu m'avais promis de ne pas le regretter.

— Je ne regrette rien. Mais je me sens un peu idiote.

Il la prit dans ses bras.

— Moi, je ne trouve pas idiote du tout et je crois que nous savons tous les deux à quel point la journée d'hier a marqué un tournant dans notre relation. Nous n'avons pas besoin de mots pour expliquer le lien fort qui nous unit.

Il sentit qu'elle se détendait dans ses bras.

— Mais pour le moment, si tu le permets, j'aimerais que nous laissions cette réflexion de côté et que nous pensions à la journée qui s'offre à nous. J'ai rendez-vous avec un agent immobilier à la maison et, comme il faut environ deux heures pour y aller, il faudrait se mettre en route assez rapidement.

Ellie se leva d'un bond

— J'ai combien de temps ?

Il consulta sa montre.

— Trente minutes.

— Tu serais étonné de savoir ce que je peux accomplir en trente minutes.

— Non, pas du tout. Je t'ai vue à l'œuvre, avec moi, dit-il en se levant du lit.

— Brett, je ne parlais pas de ça. Je peux déjeuner, m'habiller et faire ma valise en une demi-heure.

Il feignit d'être déçu.

— Ah… Je pensais à tout autre chose.

— Tu as vraiment l'esprit mal tourné.

— Je plaide coupable, mais tout est ta faute. Tu es craquante et j'ai trop envie de toi.

Elle prit sa main dans la sienne.

— Ce soir, nous dormons ensemble ?

— Tout à fait. Et alors ?

— Rien, c'est tout ce que je voulais savoir.

— Tu es sûre ? Tu sais, ceci est un téléphone et il suffit que je passe quelques appels pour décaler la visite de la maison...

Elle fit mine de réfléchir, l'air espiègle.

— Non, il vaut mieux s'en tenir au programme initial. Mais c'est gentil de m'avoir indiqué où se trouvait le téléphone car je vais pouvoir m'en servir pour appeler mon fils.

Brett s'allongea sur le lit, un bras plié sous la tête.

— Tu as de la chance que je sois d'une bonne nature car cette petite scène frustrante aurait pu me mettre de mauvaise humeur, comme tu me l'as reproché quelques fois ces derniers temps.

Ellie sourit tout en composant le numéro des Webster. Elle parla quelques instants à la mère de Martie, puis à Simon. Il lui raconta sa journée de la veille et finit par demander à parler à Brett. Sans perdre une seconde, elle passa sous la douche.

Brett prenait son petit déjeuner quand elle sortit de la chambre, vêtue d'un pantalon en coton blanc, d'un chemisier rayé bleu et blanc, et munie de son sac de voyage.

— Il me reste cinq minutes, tu ne trouves pas ça impressionnant ? lança-t-elle.

Il lui fit signe de s'asseoir tout en désignant une assiette d'œufs brouillés et de bacon. Il lui servit également une tasse de café.

— On dirait que tout le monde autour de moi se surpasse.

— Que veux-tu dire ?

— Tu t'es préparée en un temps record et Simon vient de m'apprendre que le père de Martie avait terminé la niche. Ils ont même choisi un nom pour le chien et l'ont peint au-dessus de l'ouverture.

— Et comment va s'appeler le chien ?

— Devine...

— Aucune idée.

— Quelle est son autre passion ?

— Le cricket ?

— Non, le flipper.

— Il va l'appeler Flipper ? Oui, en effet, avec un peu de jugeote, j'aurais pu deviner.

Ils rirent tous deux de bon cœur.

Sitôt leur petit déjeuner terminé, ils se mirent en route pour Portsea.

Le soleil brillait et le paysage offert par la péninsule de Mornington était magnifique.

La maison dont Brett avait parlé en toute modestie était à couper le souffle. Il s'agissait d'une ancienne bâtisse blanche imposante, cachée derrière une muraille et entourée d'un parc somptueux donnant sur une plage privée.

La région de Portsea était principalement occupée par de vieilles familles fortunées.

Un agent immobilier les accueillit à leur arrivée.

Tout en visitant la maison, Ellie se demanda pourquoi Brett hésitait à garder cette demeure mais se garda bien de lui demander, se contentant de suivre la visite en silence.

Enfin, ils regagnèrent leur voiture.

— Nous ne passons pas la nuit ici ? s'enquit-elle en attachant sa ceinture.

— Non, nous allons un peu plus loin.

— C'est-à-dire ?

— Tu verras. Alors, que penses-tu de la maison ?

— Elle est absolument merveilleuse et j'ai l'impression qu'elle a joué un rôle important dans ta vie.

— Tu es très perspicace. Cette maison appartenait à la famille de ma mère. Elle a été la cause de nombreuses disputes entre mes deux parents. Et malheureusement, la maison n'était pas le seul point de désaccord. Mais ne parlons pas de cela maintenant. Je dois me rendre à l'agence immobilière. Cela ne sera pas très amusant, alors je te propose de faire un tour dans Portsea en m'attendant.

Le centre-ville n'est pas immense, mais très agréable. Tu es d'accord ?

— Si tu penses que c'est mieux ainsi, cela me va.

Il la déposa en ville et lui donna rendez-vous une heure plus tard. Elle fit un peu de lèche-vitrines puis s'assit en terrasse pour prendre une boisson rafraîchissante. Elle passa en revue tout ce qu'elle avait fait depuis son départ de Brisbane et s'aperçut qu'en plus d'avoir eu un emploi du temps chargé elle avait aussi beaucoup appris sur Brett.

Elle adorait faire l'amour avec lui, c'était indéniable, mais il n'y avait pas que l'aspect physique. Il s'était davantage ouvert à elle, lui parlant de l'Afrique et de sa famille. Tous ces éléments entreraient en ligne de compte dans la décision qu'elle devait prendre.

— A quoi penses-tu ?

La voix de Brett la fit sursauter.

— Oh… A tout et à rien.

Il s'arrêta pour l'observer plus attentivement.

— Je crois que je me suis absenté trop longtemps, dit-il en lui tendant la main.

— Pas du tout ! protesta-t-elle, en essayant sans succès de se montrer convaincante.

Il lui adressa un sourire qui la fit pratiquement fondre sur place.

— Dans quelques minutes, nous serons au paradis.

— Au paradis ?

— Tu verras. Viens, ajouta-t-il en la guidant jusqu'à la voiture.

Quelques instants plus tard, elle vit en effet de quoi il voulait parler.

Au bout de la péninsule, juste avant l'entrée du parc national, se tenait Peppers Delgany, une demeure fastueuse transformée en hôtel de luxe.

Une fois de plus, Ellie fut époustouflée par le raffinement et la splendeur de cet environnement privilégié.

— Je suis subjuguée, dit-elle en admirant la vue de leur chambre qui donnait sur le terrain de golf.

— Moi aussi. Par toi, avoua-t-il en la prenant dans ses bras pour l'embrasser.

Elle se laissa aller contre lui.

— Tu es fatiguée ?

— Un peu.

— Alors voilà ce que je propose. On se repose, on prend un bon bain et après je t'emmène dîner. Mais pas ici. J'ai oublié de réserver et ils n'ont plus de place. Mais le restaurant du Portsea Hotel est excellent.

— Emmène-moi où tu voudras, souffla-t-elle tout en jetant un regard vers le lit gigantesque qui trônait dans la pièce voisine.

— Vas-y, allonge-toi.

— Et toi ?

— J'ai quelques appels à passer. Je vais rester ici pour ne pas te déranger.

— Tu es sûr que cela te convient ?

— Absolument. Allez, file !

— Je ne vais pas me faire prier.

Une heure et demie plus tard, Brett la réveilla en l'embrassant. Il lui avait apporté un cocktail et il lui annonça que son bain l'attendait.

Ellie s'assit, sans parvenir à sortir de sa torpeur.

Il fut amusé par ce spectacle.

— Prends le cocktail avec toi dans la salle de bains. Sirote-le tranquillement tout en laissant la mousse agir et je te promets qu'en ressortant tu te sentiras revigorée. En plus, la vue est imprenable…

— De la mousse ?

— Tu verras…

Elle le suivit. En effet, la baignoire débordait de mousse.

— Tu n'as pas peur que je me perde ?

— Tu es une grande fille, ça devrait aller.

— Merci, tu es vraiment adorable, dit-elle en se retournant pour l'embrasser.

— Adorable ? rétorqua-t-il avec ironie.

— Enfin… Je peux faire tout l'alphabet. Adorable, beau, charmant, délicat, enivrant, fascinant, gentleman, et si je passe quelques lettres, surtout très sexy, et enfin, zélé.

— Merci. Je crois que mon ego n'en demandait pas tant.

Elle lui offrit son plus beau sourire puis lui suggéra de la laisser afin qu'elle se remette les idées en place.

Le Portsea Hotel était un établissement ancien à la façade majestueuse dont l'intérieur avait été entièrement rénové. La terrasse avait été refaite elle aussi, si bien qu'on pouvait à présent dîner dehors et profiter de la vue.

Une fois qu'ils furent installés, Brett passa la commande.

Ellie en profita pour contempler le panorama sur la baie de Port Phillip, à présent baignée dans une lumière crépusculaire bleu foncé.

La tactique de Brett avait porté ses fruits et elle se sentait entièrement revigorée, détendue et sereine. Après son bain, elle avait enfilé un jean et le haut qu'elle avait porté chez Delia, si bien qu'elle se sentait en harmonie avec la clientèle du restaurant.

Il revint avec une bouteille de vin dans un seau, un numéro de table et annonça que leur repas serait servi dans une vingtaine de minutes.

— Tu connais bien cette région ? s'enquit-elle alors qu'il leur servait un verre.

— Enfant, je passais mes vacances ici, chez mes grands-parents. La maison leur appartenait. A leur mort, ma mère en a hérité et elle l'a mise en location.

— Pourquoi la maison a-t-elle engendré des disputes entre tes parents ?

Brett s'adossa, considérant la question.

— Mes grands-parents ont toujours eu l'impression que ma mère s'était mariée à un homme d'une classe inférieure à la sienne. Et il n'était même pas de Victoria. Pire encore, il venait du Queensland !

— J'ai cru deviner que Portsea abritait avant tout de vieilles familles fortunées.

— Tu as vu juste. Mon père ne supportait pas que ma mère puisse faire état de ses richesses. D'un côté, cela l'a poussé à réussir professionnellement pour pouvoir offrir à ma mère le même train de vie. Mais d'un autre côté, leurs différences ont toujours créé un fossé entre eux.

Ellie parut soucieuse.

— Je sais à quoi tu penses, reprit-il. L'argent n'aurait pas dû avoir d'importance s'ils s'aimaient vraiment. Ou peut-être n'étaient-ils pas faits l'un pour l'autre dès le départ ?

— En fait, je me demandais surtout quel impact cela avait eu sur toi.

— Je ne me suis jamais posé la question, mais cela a forcément laissé une empreinte, d'une façon ou d'une autre. Nous sommes donc tous les deux des rescapés de familles conflictuelles. A nous ! dit-il en levant son verre.

— A nous. Mais tu sais, je crois qu'en creusant un peu on se rend compte que toutes les familles sont un peu compliquées.

Il ouvrit la bouche mais les assiettes appétissantes qu'on leur servit leur donnèrent l'occasion de changer de sujet et de passer à des choses plus joyeuses et frivoles.

— Ellie ?

Ils étaient tous deux allongés nus sur le lit, plongés dans un halo de lumière, en proie à une merveilleuse béatitude.

— Oui ?

— Tu es merveilleuse. A la fois douce et délicate, torride et passionnée, forte et obstinée. Une combinaison tout à fait fascinante.

— Merci. Je crois t'avoir déjà dit que je te trouvais aussi fascinant.

— D'ailleurs, ce que tu fais en ce moment est absolument fascinant.

Elle souleva la tête, lui offrant un sourire radieux.

Il en profita pour plonger les doigts dans sa chevelure bouclée.

— Demain, tu seras de retour à Brisbane.

Elle se raidit.

— Tu ne rentres pas avec moi ?

— Non, je ne rentrerai que samedi. J'ai quelques affaires à régler et je veux éviter de devoir revenir une fois que le laboratoire sera opérationnel. Cela te dérange ? demanda-t-il en lui titillant la pointe des seins.

— Non. Comme tu l'as dit, je suis une grande fille. Je peux rentrer toute seule.

— Alors pourquoi ai-je senti que la nouvelle te contrariait ?

Elle réfléchit.

— Ces derniers jours j'ai vécu sans penser à la minute d'après, donc tout à coup je panique à l'idée de devoir me projeter dans l'avenir.

— Tu n'as toujours rien décidé ?

— Non. Mais si tu n'arrêtes pas de me caresser, je risque de partir pour le septième ciel sans toi.

Immédiatement, il bascula sur elle.

— Alors là, pas question ! Nous sommes dans le même bateau, que tu le veuilles ou non…

— Je…

Mais elle n'ajouta rien car déjà il l'avait pénétrée et bougeait en elle. Le rythme s'accéléra, et après une langoureuse chevauchée vers l'extase libératrice, ils jouirent dans un même cri.

*
* *

Le lendemain matin, la météo changea radicalement à Melbourne et ils repartirent en ville dans le brouillard et sous la pluie.

— Je n'arrive pas à y croire. Quel froid !

— Il fait sûrement très chaud à Brisbane.

Après ces considérations météorologiques, ils se turent, absorbés dans leurs pensées.

C'est Ellie qui brisa le silence.

— Brett, as-tu pris ta décision par rapport à la maison de tes grands-parents ?

Il mit les essuie-glaces à la vitesse supérieure.

— Non. C'est un dilemme. Quand je pense aux disputes de mes parents, j'ai envie de la vendre, mais quand je pense aux souvenirs joyeux de mes vacances, j'ai envie de la garder. Il y a un acheteur potentiel. Que ferais-tu, à ma place ?

Elle se tourna vers lui, interloquée.

— Pourquoi me demandes-tu mon avis ?

— Parce que ton avis compte beaucoup pour moi.

Aussitôt, elle tourna le visage vers la fenêtre.

— Je ne peux pas encore me prononcer par rapport à ta proposition, Brett, mais pour ce qui est de la maison, si j'étais toi, je la garderais.

— Quand penses-tu pouvoir me donner ta réponse ?

— Bientôt. Ce n'est pas une décision facile pour moi et j'ai du mal à prendre tous les éléments en compte.

— Je comprends tout à fait. Mais je ne rentre pas avant samedi, alors ne va pas te mettre des idées étranges en tête.

— Telles que… ?

— Je ne sais pas… Peut-être pourrais-tu en parler avec Simon ?

— Simon t'admire tant que ce n'est pas le conseiller le plus impartial.

— Justement ! J'aimerais bien qu'il puise t'influencer, dit-il avec malice en empruntant la bretelle menant à l'aéroport de Tullamarine.

Une fois à l'aéroport, à court de mots, Brett trouva un autre moyen de lui faire savoir à quel point elle allait lui manquer. Au beau milieu de la foule, il l'embrassa passionnément, plus possessif que jamais, et elle dut rester lovée contre lui quelques instants avant de pouvoir recouvrer ses esprits et son équilibre.

— Brett ! murmura-t-elle, le regard perdu.

— C'est un baiser qui doit durer deux jours, donc je me suis dit qu'il fallait le prolonger.

Elle regarda alentour puis rougit.

— Tout le monde nous regarde.

— Et alors ?

Il lui prit le visage entre ses mains.

— Maintenant, promets-moi de ne pas broyer du noir, de chasser les idées étranges de ton esprit et de puiser dans les souvenirs engrangés lors de ce voyage. Je ne te laisserai pas partir tant que tu ne me le promettras pas.

— Mais mon vol…

— Tant pis, tu le rateras…

— Je ne peux pas me le permettre !

Il haussa les épaules.

Ellie ferma les yeux et poussa un profond soupir.

— D'accord, c'est promis.

— Merci. Bon voyage, conclut-il en déposant cette fois un tendre baiser sur ses lèvres.

9.

Ellie rentra au moment où Simon revenait de l'école. Son fils l'accueillit avec effusion. Il manifesta un tel enthousiasme qu'elle dut lui demander si tout allait bien.

— Oui, tout va bien, mais pendant ce petit séjour, j'ai appris que c'était chouette d'être celui qui partait mais un peu moins chouette d'être celui qui restait.

Ellie éclata de rire.

— Je vois tout à fait ce que tu veux dire. Regarde ce que je t'ai ramené, dit-elle en sortant le sac avec les casquettes.

Simon sauta de joie.

— C'est génial. Merci !

— De rien, mon chéri.

— Alors, c'était bien, avec Brett ?

Elle lui raconta son séjour mais s'abstint de lui parler de la proposition de mariage qui demeurait en suspens.

Rassuré d'avoir retrouvé sa mère, Simon enchaîna en demandant s'il pouvait aller apporter la casquette à Martie.

— Bien sûr, mon grand !

Le soir même, alors que Simon était déjà au lit, Gemma Arden passa à l'improviste.

— Tiens, Gemma, quelle surprise ! Nous ne devions pas déjeuner ensemble lundi prochain ?

— Si, mais je dois partir à Sydney lundi et je culpabilisais tellement de devoir annuler de nouveau que j'ai préféré passer à l'improviste. Je sais que Brett n'est pas là. Il m'a appelée de Melbourne ce matin.

— Entre donc. Je viens de faire un cocktail de fruits. Je vais nous servir un verre et on ira papoter sur la terrasse.

— C'est parfait.

Gemma était très grande, assez corpulente et portait toujours des tenues noir et blanc dans le cadre de son activité professionnelle. Elle avait un joli visage entouré de cheveux blonds. Au fil des ans, Ellie avait appris à la connaître. Ce n'était pas le genre à mâcher ses mots et elle avait un sens de l'humour très vif.

— Alors Ellie, parle-moi du projet farfelu de Brett…

Ellie hésita quelques instants puis sut que le moment était venu de confier à Gemma la nature de sa relation avec Brett.

— Il m'a fait une proposition de mariage. Un mariage de convenance. Je pense que sa proposition est uniquement liée au fait qu'il ait eu du mal à se réaccoutumer à la vie à Brisbane. Sans compter qu'une danseuse topless est venue compliquer les choses.

— Une demande en mariage ? Une danseuse topless ? Je n'y comprends rien ! s'exclama Gemma, les yeux écarquillés.

Ellie lui raconta l'épisode de Chantal Jones et elles rirent toutes deux de bon cœur.

— Il a emménagé ici dès son retour ?

— Oui. Il se sent bien en notre compagnie.

— Et tu vois ça comme un problème ?

— Dans les faits, non. C'est sa maison, il a tous les droits de s'installer ici et c'est normal qu'il s'y sente bien. Mais quand il est revenu, j'ai pensé qu'il y avait deux scénarios possibles : soit il voulait récupérer sa maison et Simon et moi devions partir, soit nous garderions la maison et il irait habiter ailleurs. A aucun moment je me suis dit qu'il se plairait en notre compagnie. Mais il se sentait seul et un peu perdu, alors…

— Il fait peut-être ça uniquement pour protéger Simon, coupa Gemma. Il s'est senti tellement impuissant quand il était bébé.

— C'est ça que je ne comprends pas. Il nous a déjà tant aidés ! Sans lui, je n'aurais pas pu élever Simon de cette façon.

— Il vous a aidés financièrement. Mais maintenant que Simon grandit et qu'il ressemble de plus en plus à Tom, je pense qu'il culpabilise davantage et qu'il cherche à compenser. Pourtant, je n'arrête pas de lui dire qu'il ne doit pas s'en vouloir et que ce n'est pas sa faute.

— De quoi parles-tu ?

Gemma pâlit.

Ellie sentit que l'avocate venait de commettre un faux pas et qu'elle était sur le point de faire machine arrière.

— Gemma, Simon est mon fils et Tom était son père. Depuis des années, j'ai l'impression de jouer à Cendrillon, et d'être éternellement redevable au prince charmant Brett Spencer. Du moins du point de vue financier. Je me suis toujours dit que c'était parce que Brett considérait Tom comme son petit frère. Y a-t-il autre chose que j'ignore ?

Gemma soupira, mal à l'aise.

— Tu ne crois pas qu'il est temps que j'apprenne la vérité ?

Après quelques instants de silence, Gemma se jeta à l'eau.

— Si tu veux tout savoir, Brett s'est toujours cru responsable de la mort de Tom.

Ellie resta bouche bée, se sentant blêmir.

— Mais il ne jouait pas, ce jour-là ! Je ne comprends pas.

— Je ne sais pas si tu es au courant mais depuis l'accident de Tom, il n'a jamais rejoué au polo. Ce jour-là, c'est lui qui devait jouer mais il a eu un empêchement et c'est Tom qui l'a remplacé.

Ellie repensa à ce jour funeste et au fait qu'elle n'était même pas allée voir le match.

— C'est ce qu'il pense ? Mais comment le sais-tu ? s'enquit-elle, interloquée.

— Pardonne-moi, mais quand il est venu me dire qu'il voulait que tu t'installes dans la maison et qu'il souhaitait te verser une pension alimentaire, je lui ai demandé de but en blanc s'il avait de bonnes raisons d'entretenir une femme qu'il connaissait à peine. C'est là qu'il m'a tout raconté…

Soudain, Ellie se remémora la façon dont Brett avait aussitôt changé de sujet lorsqu'elle avait parlé de polo à la Melbourne Cup.

— Cela change tout…

— En bien ou en mal ? interrogea Gemma. Je n'aurais pas dû te raconter cette histoire, mais comme je n'ai pas envie que tu continues à te sentir redevable, je préfère être franche. Quel effet cela te fait ?

Ellie tenta de se calmer et d'ordonner ses idées.

— J'ai l'impression que tout s'explique enfin.

— En tout cas, quand je vous ai vus chez Archie et Delia, j'ai trouvé que vous formiez un couple formidable. Peut-être ses sentiments ont-ils évolué depuis qu'il a fait sa demande en mariage ?

Après une heure passée à échanger des propos divers, Gemma prit congé de son amie.

Cette nuit-là, Ellie ne trouva pas le sommeil.

Le lendemain matin, Simon lui demanda pourquoi elle ressemblait à un zombie.

— J'ai un peu mal à la tête et j'ai mal dormi. Et toi ? Comment vont les répétitions ? s'enquit-elle, s'efforçant de sourire pour faire bonne figure.

— Tout se passe très bien. On joue demain soir, n'oublie pas.

Une fois qu'il fut parti à l'école, elle s'effondra sur une chaise, la tête entre les mains. Elle connaissait enfin la vérité et c'était absolument insupportable.

Il ne lui restait plus qu'une chose à faire…

Deux heures plus tard, alors qu'elle était dans la chambre de Simon, entourée de cartons, elle entendit une voiture dans l'allée. Si quelqu'un sonnait à la porte, elle ferait mine de ne pas être là.

Mais la personne en question avait les clés et entra dans la maison sans sonner. Elle se retrouva piégée jusqu'à ce que Brett vienne la débusquer dans la chambre de Simon.

La voyant, il jeta les clés sur le lit et vint se placer devant elle, la défiant de toute sa hauteur.

— Elvira Madigan, tu n'as donc jamais eu confiance en moi ? Après tout ce que j'ai fait pour toi, tu serais partie comme une voleuse, sans me prévenir ?

Il portait un costume et une cravate sombres et jamais elle ne l'avait trouvé aussi imposant, voire menaçant.

— Tu ne comprends pas ! lança-t-elle sèchement, se sentant pâlir de rage.

— Tu étais prête à déraciner un enfant du jour au lendemain, sans penser à sa pièce de théâtre, à ses amis ou à sa joie d'accueillir son premier chien ? Peux-tu m'expliquer comment tu comptais annoncer la nouvelle à Simon ?

— Ce sont mes affaires ! Tu avais dit que tu ne rentrerais que demain ! Pourquoi es-tu là ? lança-t-elle, les larmes aux yeux.

— Je suis là car Gemma m'a appelé hier soir pour me dire que sa fâcheuse habitude de ne pas mâcher ses mots lui avait valu de faire une gaffe monumentale. Puis-je savoir où tu comptais aller ?

— Où je compte aller ? Je pars, c'est décidé. Nous irons d'abord chez mon père. Simon et lui s'entendent admirablement bien. Oh ! et ça, c'est pour toi, dit-elle en lui jetant un morceau de papier qu'elle venait de sortir de sa poche.

Il prit le chèque et le déchira avec mépris.

— Alors, ces derniers jours n'ont rien signifié pour toi ? Elle s'éclaircit la voix.

— Si. Et pour ta gouverne, dans l'avion qui me ramenait de Melbourne à Brisbane, j'étais décidée à prendre le risque de t'épouser, même s'il est fort possible que tu repartes en Afrique sur un coup de tête pour je ne sais combien d'années, et même si je pense que tu es un célibataire dans l'âme. Mais je refuse de t'épouser parce que tu te sens responsable de la mort de Tom !

— Ellie !

— Gemma a peut-être mis les pieds dans le plat mais elle n'a pas l'habitude de raconter des mensonges.

— Non, tu as raison, dit-il, soudain découragé.

— Alors c'est vrai ? murmura-t-elle.

— Oui, c'est vrai que si je ne m'étais pas désisté à la dernière minute, Tom ne serait pas mort. Et Simon lui ressemble tant ! Mais jamais je ne t'ai fait l'amour en me sentant coupable par rapport à l'accident. Les sentiments ne fonctionnent pas comme ça, tu le sais aussi bien que moi.

— Mais tu ne comprends pas que le fondement même de notre relation est bancal ? Il l'a toujours été et le sera toujours. La seule différence, c'est qu'à présent je sais pourquoi, lança-t-elle en se détournant brusquement de lui.

Posant la main sur son épaule, il la fit pivoter.

— Tu trouves que notre séjour à Melbourne s'est mal passé ?

— Ce qui s'est passé entre nous à Melbourne ne compte pas. Nous étions loin de chez nous, loin de nos soucis, nous avions envie de nous détendre et de vivre un moment extraordinaire… Je ne sais pas ce qui m'a pris.

— C'est étrange, mais tu m'as déjà dit ça. Alors pourquoi ne pas m'avouer la vérité en face ?

Elle écarquilla les yeux, incrédule.

— Tu n'oses pas ? Alors je vais commencer. Viens…

A contrecœur, elle le suivit dans la cuisine. Pendant qu'il réchauffait du café, elle s'effondra sur une chaise.

Il enleva sa veste et défit sa cravate.

— Tu vois, j'avais raison quand je t'ai dit qu'il faisait sûrement chaud à Brisbane.

Elle n'eut pas la force de sourire à sa tentative d'humour.

Il la scruta quelques instants en silence puis versa du café dans deux tasses avant de venir la rejoindre à table.

— Tu m'as dit un jour que tu ne pensais pas pouvoir aimer un homme comme tu avais aimé Tom.

Ellie ouvrit la bouche mais aucun son n'en sortit.

— Je n'ai jamais eu l'ambition d'effacer ou de supplanter cet amour. Simon est la preuve de ce que tu éprouvais pour cet homme et il t'unit de façon unique à lui.

Il toussa légèrement, puis poursuivit :

— C'est vrai qu'au début je me suis senti coupable, mais le fait que je sois tombé amoureux de toi est un événement à part entière. L'étincelle que tu as fait naître en moi il y a onze ans s'est peu à peu transformée sans que je m'en aperçoive.

— Comment est-ce possible ?

— Des petites choses éparses ont fini par former un tout cohérent. Tes cerfs-volants, ta façon de les faire voler… Ta passion pour la cuisine. Ta voix. Tes cheveux. Ta peau. Ton sens de l'humour… Peu à peu, je me suis aperçu que j'avais hâte de te revoir, hâte de revenir ici pour être en ta compagnie. Un jour, j'ai fait cette demande en mariage sans vraiment y avoir réfléchi et petit à petit je me suis rendu compte que c'est ce dont je rêvais vraiment.

Il marqua une courte pause.

— Ellie, je sais que tu peux invoquer les onze ans, l'Afrique, Chantal Jones, mais cela n'a rien à voir là-dedans. Tout ce qui m'importait, c'était toi. Le problème, c'est qu'au fond de moi il y avait toujours le souvenir et l'image de Tom. L'ombre de Tom, pour ainsi dire. Ce n'était pas la culpabilité qui me rongeait mais le fait que tu refuses d'aimer de nouveau.

Les lèvres d'Ellie s'ouvrirent mais elle resta muette.

— Je ne sais pas si tu te souviens, mais il y a quelque temps je t'ai demandé si tu attendais de moi une déclaration d'amour enflammée. Tu as tout de suite répondu que non.

— Je ne savais pas que… Je pensais que…

— Tu pensais que je plaisantais ? Je ne plaisantais pas. Au contraire. C'était plutôt de l'autodérision. J'ai eu la réponse que je craignais mais à laquelle je m'attendais.

— Non, mais…

— Quand je me suis rendu compte à quel point je t'aimais et que j'ai compris que tu étais la femme de ma vie, je dois avouer que je me suis servi de Simon pour arriver à mes fins. Je voulais pouvoir exercer une certaine pression sur toi. C'était du chantage pur et simple. Je ne savais plus quoi faire.

— Brett…

— Si tu te demandes pourquoi je n'ai pas fait ma déclaration d'amour à Melbourne, sache que ce n'est pas faute d'avoir voulu tenter ma chance. Mais je crois que j'avais peur de ta réaction, peur d'être rejeté.

Enfin, elle retrouva l'usage de la parole, même si sa voix tremblante était à peine audible.

— Je suis tombée amoureuse de toi le jour où tu as volé à mon secours alors que j'étais accrochée à un parcmètre, il y a onze ans de cela. A l'époque, je ne pouvais pas ou je ne voulais pas me l'avouer, parce que ça semblait impossible. Je me suis toujours sentie coupable d'avoir éprouvé ce sentiment intense pour toi.

Il s'immobilisa, silencieux, ses yeux la fixant au point de lui transpercer l'âme.

Elle attendait, le cœur battant la chamade.

Il se leva doucement, murmura son prénom et la souleva dans ses bras.

142

— Dieu merci…

— Mais c'était trois mois après le décès de Tom !

— Précisément. Tom était décédé.

Elle le regardait, les yeux hagards.

— Les choses changent, les sentiments évoluent. Surtout quand on se retrouve dans des situations extrêmes.

— C'est ce dont tu voulais parler quand tu as dit qu'on devait se dire la vérité en face ? Tu savais que j'avais toujours été amoureuse de toi ?

— Non. Je voulais que tu me dises que jamais tu n'accepterais de faire l'amour avec un homme comme tu as fait l'amour avec moi, à moins d'être amoureuse de cet homme.

Soudain tourmentée par le souvenir torride de leurs ardents ébats, elle enfouit sa tête contre son torse.

— Ellie ?

Sa demande était impérieuse mais sa main la caressa doucement.

Elle leva vers lui un visage souriant, les yeux emplis de larmes de joie.

— En effet, jamais je ne pourrais faire l'amour avec un autre homme comme nous avons fait l'amour à Melbourne.

Elle sentit la réaction de son corps contre le sien : il était infiniment soulagé. Puis il se mit à l'embrasser comme s'il ne l'avait pas fait depuis des années.

Il s'arracha à ses lèvres, la fixant avec une sincérité troublante.

— Comment faire pour me rattraper ?

— Tu veux que je te montre ?

Il la regarda, interloqué, puis acquiesça.

Elle le prit par la main et le mena dans sa chambre.

— Je crois savoir où tu veux en venir, osa-t-il dire enfin.

— Tu en es sûr ? J'allais suggérer qu'on fasse l'amour sauvagement mais si tu as autre chose en tête…

— Non, en cet instant, précis, je n'ai rien en tête… Enfin, hormis te faire l'amour sauvagement.

Ils éclatèrent de rire, heureux de pouvoir enfin donner libre cours à leurs sentiments, puis se déshabillèrent à la hâte, impatients de se retrouver de nouveau nus dans les bras l'un de l'autre.

L'ardeur qui les unissait, plus intense que jamais, leur permit une nouvelle fois d'atteindre les sommets de la félicité.

Les derniers soubresauts de jouissance passés, ils sombrèrent dans un silence satisfait, repus, heureux.

Jusqu'à ce que Brett reprenne la parole.

— Pour ce qui est de l'Afrique…

Ellie lui embrassa l'épaule.

— Je comprends…

— Non, je ne crois pas que tu comprennes. Je n'ai compris moi-même que l'autre soir quand tu t'es endormie dans mes bras, à l'hôtel. Tout à coup, je me suis senti différent. J'ai adoré mon expérience là-bas et j'aimerais beaucoup m'y rendre avec toi, mais je n'ai plus l'Afrique dans le sang. A présent, c'est toi que j'ai dans le sang.

— Tu n'es pas obligé de dire ça.

— C'est vrai ! Tu es ce qu'il y a de plus important à mes yeux. Contrairement à ce que tu as dit, je ne suis pas un célibataire dans l'âme. La preuve, tu me manquais tant que j'avais de toute façon déjà changé mon billet d'avion pour rentrer aujourd'hui.

Elle soupira, comblée.

— Heureuse ?

— Aux anges. Je connais quelqu'un d'autre qui va sauter de joie. Tu sais, j'ai été vraiment étonnée quand il m'a dit que je lui avais manqué.

— Pourquoi donc ?

Pour toute réponse, elle haussa les épaules.

— Tu ne comprends toujours pas à quel point tu es unique ? dit-il en la faisant rouler pour venir se positionner sur elle.

— Non. Mais je dois dire que tes méthodes sont très convaincantes.

— Je m'attacherai à te le rappeler aussi souvent que possible.

— Je ne voudrais pas que tu te donnes cette peine.

Il l'embrassa alors qu'elle riait aux éclats.

— Qui parle de peine ? Pour moi, c'est le summum du plaisir...

Ils apprirent la nouvelle à Simon dès qu'il revint de l'école.

— Youpi ! cria-t-il en jetant sa casquette dans les airs.

Il prit Ellie dans les bras et serra la main de Brett.

— Quel soulagement ! Hier, je disais justement à Martie que les adultes avaient le don de compliquer les choses.

— Tu as parlé de ça avec Martie ?

— Bien sûr ! C'est mon meilleur ami. On avait même échafaudé un plan. Je suis content de ne pas devoir le mettre à exécution.

— Quel genre de plan ? demanda Brett.

— Je devais tomber de vélo et me faire un peu mal pour mettre maman dans tous ses états afin que tu puisses la consoler et jouer les héros.

L'air tout à fait sérieux, Brett se tourna vers Ellie.

— C'est fou, je n'y avais même pas pensé !

Ellie éclata de rire. Une fois son sérieux retrouvé, elle mit les choses au point.

— Ecoutez-moi bien, tous les deux... Il vous est déjà arrivé de comploter contre moi, mais vous n'avez pas intérêt à faire ça à l'avenir, sinon ça ira mal pour vous.

— Comploter ? Nous ? Jamais ! affirma Brett, qui avait bien du mal à garder son sérieux.

— Sauf si c'était vraiment nécessaire ! lança Simon, les yeux emplis de malice.

* *

Ils se marièrent deux semaines plus tard.

Ellie portait une robe blanche toute simple parsemée de fleurs de tulle blanc.

Son fils, fier de porter son premier costume, et son père, fier de marier sa fille, la menèrent tous deux jusqu'à l'autel.

Son père alla s'asseoir mais son fils resta près d'elle.

A la fin de la cérémonie, Brett l'embrassa et Simon la prit dans ses bras.

— Bravo, maman, je suis fière de toi, lui murmura-t-il à l'oreille.

La réception fut intime mais néanmoins animée, avec come invités les McKinnon, Gemma Arden, les Webster, son père, sa belle-mère, Chantal Jones et Dan Dawson.

Après la réception, Brett l'emmena passer la nuit dans un hôtel. Ils devaient partir pour Tahiti le lendemain, tandis que Simon restait chez ses grands-parents.

Brett donna un pourboire au garçon d'étage puis rejoignit Ellie, toujours vêtue de sa jolie robe blanche.

Il la prit par la taille.

— Vous avez l'air très sérieux, Mme Spencer.

— Parce que je suis sérieusement amoureuse de vous, M. Spencer. Merci pour cette merveilleuse journée.

Il resserra son étreinte.

— Je vois qu'il est déjà temps de te rappeler à quel point tu es unique. Si quelqu'un doit être remercié pour cette merveilleuse journée, c'est toi, mon amour...

— On pourrait couper la poire en deux et se remercier l'un l'autre ?

— Tu as raison, nous sommes tous les deux uniques, chacun à sa manière, dit-il avant de l'embrasser.

— Mais je dois avouer que tu m'as rendu un fier service pour lequel je te serai éternellement reconnaissante.

— Ah bon ? Et lequel ? s'enquit-il d'un air intrigué.

— Grâce à toi, je ne m'appelle plus Elvira Madigan.

— C'est pour ça que tu m'as épousé ?

— Uniquement pour ça !

Tout en douceur, il lui ôta sa robe puis ses sous-vêtements.

— Donc cela n'avait rien à voir avec ça ? murmura-t-il en laissant ses mains parcourir ses seins.

— Non, pas du tout.

— Ah non ? reprit-il en retirant soudain ses mains.

— Tu es diabolique, Brett Spencer.

— Pas autant que toi, susurra-t-il alors qu'il voyait ses tétons raidir et que déjà il les titillait entre ses doigts sans la quitter des yeux.

— Nous avons déjà ça en commun !

— Alors, madame Spencer, me ferez-vous l'honneur de partager avec moi des jeux amoureux dont vous avez le secret ?

— En effet, monsieur Spencer. Et je peux vous garantir que vous ne serez pas déçu.

Et en effet, il ne fut pas déçu. Bien au contraire.

Dix-huit mois plus tard, voilà ce que disait le premier message sur le frigo :

« Chère maman,

» Maintenant que Lucy a trois mois, est-ce que je peux lui apprendre à parler et à marcher ? Au fait, je ne supporte pas l'idée qu'elle soit seule dans sa chambre. Elle pourrait partager la mienne…

» Ton fils chéri,

Simon »

Le second message disait :

« Simon,

» Oui, tu peux lui apprendre à parler mais tu n'as marché

qu'à quinze mois et cela semble un peu prématuré. C'est gentil de proposer de partager ta chambre, mais elle est très bien où elle est, je t'assure. En tout cas, Brett et moi te remercions. On ne sait pas ce qu'on aurait fait sans toi.

» Ta maman qui t'adore »

» P.-S. : Pour te prouver notre reconnaissance, il y a une pizza dans le congélateur avec ton nom dessus ! »

Ne manquez pas, dès le 1ᵉʳ février

PAR DEVOIR, PAR AMOUR, *Jennie Lucas* • N°3317

En écoutant la proposition d'Eduardo Cruz, Callie a l'impression de faire un cauchemar. Elle qui a toujours rêvé de se marier par amour, doit-elle accepter de lier son destin à celui de cet homme arrogant, impitoyable, qui n'éprouve rien pour elle et qui ne veut l'épouser que par devoir ? Un homme dans les bras duquel, pourtant, elle s'est abandonnée à la passion dans un moment de folie, quelques mois plus tôt… Très vite, Callie comprend qu'elle n'a guère le choix : si elle veut offrir une vie décente à son bébé, un bébé dont Eduardo est le père, elle va devoir dire oui. Et côtoyer chaque jour cet homme qu'elle hait mais qu'elle ne peut s'empêcher de désirer follement…

UN SCANDALEUX DON JUAN, *Susan Stephen* • N°3318

Alors qu'elle sort de sa salle de bain, le corps à peine dissimulé par une serviette, Holly manque s'évanouir de frayeur en tombant nez à nez avec Ruiz Acosta. Pourquoi son amie Lucia ne l'a-t-elle pas prévenue que son frère occuperait l'appartement londonien qu'elle lui a prêté ? A présent, elle n'a pas d'autre option que de cohabiter avec le ténébreux Ruiz qui darde sur elle un regard brûlant, un regard qui la déstabilise profondément. Mais après un moment de panique, Holly se reprend : pas question de se laisser distraire par la présence de ce don Juan – et risquer ainsi de gâcher l'opportunité professionnelle unique qui s'offre à elle…

UNE ATTIRANCE INTERDITE, *Maisey Yates* • N°3319

En apprenant que son père, le roi Stephanos, l'a placée sous la surveillance étroite de Mak Nabatov, Evangelina se sent bouillir d'indignation et de colère. Ne pourrait-on, pour une fois, la laisser libre de ses faits et gestes ? D'autant que, contrairement aux gardes du corps qu'elle a eus jusqu'ici et à qui elle faussait régulièrement compagnie, elle pressent que Mak, lui, ne se laissera pas berner… Pas s'il est aussi autoritaire et inflexible qu'on le dit. Le genre d'homme dominateur qu'Eva déteste a priori. Pourtant, au moment de leur rencontre, face à cet homme intimidant et d'une virilité à couper le souffle, ce n'est pas de l'aversion qu'Eva éprouve, mais de l'attirance. Une attirance d'autant plus déstabilisante qu'elle n'a pas le droit d'y céder…

UN SÉDUCTEUR POUR PATRON, *Anna Cleary* • N°3320

Coup de foudre au bureau

A peine engagée, Mirandi découvre avec stupeur que son nouveau patron n'est autre que Joe Sinclair. Joe qu'elle n'a pas revu depuis des années, depuis qu'il l'a quittée brutalement après quelques mois d'une liaison passionnée. Et si le jeune homme rebelle d'autrefois est devenu un homme d'affaires richissime, son regard lui, n'a pas changé. Toujours aussi sensuel et impérieux. Dire qu' elle va devoir l'accompagner à une conférence sur la Riviera française ! Une perspective qui la plonge dans l'angoisse : ne devra-t-elle pas passer toutes ses journées en compagnie de Joe ? Sans parler des nuits interminables où elle devinera sa présence, tout près, dans la suite voisine de la sienne…

LE FILS CACHÉ DE SANTINO FERRARA, *Sarah Morgan* • N°3321

Lorsqu'elle voit entrer Santino Ferrara dans le restaurant qu'elle dirige sur une plage de Sicile, Fia se fige, tétanisée par la surprise et la colère. Jamais elle n'aurait pensé que cet homme, l'ennemi juré de sa famille, oserait venir la trouver ici, chez elle. Mais en croisant le regard sombre du bel Italien, Fia oublie soudain sa fureur : ce qu'elle ressent à présent, c'est de la peur. La peur que Santino ne découvre que de leur unique nuit de passion, il y a trois ans — un moment de folie qu'ils pensaient sans lendemain —, est né un fils…

LE DÉSIR À FLEUR DE PEAU, *Chantelle Shaw* • N°3322

En forçant les portes de l'impressionnant Castello del Falco, Beth n'a qu'un objectif : annoncer au maître des lieux, le redoutable Cesario Piras, qu'il est le père de Sophie, la petite orpheline d'un an dont elle a la charge. Mais alors qu'elle pensait qu'il admettrait l'évidence et assumerait ses responsabilités, Cesario, à la grande stupeur de Beth, met ses révélations en doute et exige qu'elle séjourne quelques jours au château, avec le bébé, le temps pour lui de s'assurer qu'elle dit la vérité. Désemparée, Beth accepte à contrecœur : comment pourrait-elle priver la petite Sophie de cette chance unique ? Même si elle se sent déjà prisonnière. Prisonnière de cette maison… et du charme envoûtant de Cesario.

CONQUISE PAR LE CHEIKH, *Lucy Monroe* • N°3323

Les Princes du désert

Jamais Iris n'aurait imaginé revoir le cheikh Asad, l'homme qui l'a si cruellement trahie six ans plus tôt. Et pourtant, c'est lui qui va superviser les fouilles sur le site qu'elle est chargée d'explorer. Un instant, Iris envisage de fuir. Loin d'Asad, loin de son charme magnétique. Avant de se reprendre aussitôt : par le passé, elle a déjà perdu ses rêves et ses illusions à cause de cet homme. Hors de question qu'elle ruine aujourd'hui sa carrière ! Résignée à côtoyer Asad durant des semaines, Iris se jure qu'elle fera tout pour le tenir à l'écart, en dépit du désir qui crépite entre eux, tout comme autrefois. Oubliant un peu vite qu'on ne peut ignorer un homme tel qu'Asad, habitué à obtenir tout ce qu'il veut…

L'HÉRITIER DE CASA CARELLA, *Helen Brooks • N°3324*

En panne, sur une route déserte, dans cet endroit perdu du sud de l'Italie ? Ce n'est pas tout à fait le genre d'aventures dont Cherry rêvait en venant passer des vacances dans la région ! Mais ce qui était déjà un fiasco tourne au cauchemar quand elle se voit contrainte d'accepter l'hospitalité que lui offre, visiblement à contrecœur, Vittorio Carella, le propriétaire du domaine isolé où elle s'est égarée. Car son hôte, bien qu'extrêmement séduisant, la traite avec une telle froideur et une telle arrogance que Cherry n'a bientôt qu'une envie : partir au plus vite. Pour que cesse enfin cette troublante intimité…

UN SI TROUBLANT MILLIARDAIRE, *Julia James • N°3325*

Devoir affronter le regard intense et le sourire ravageur de Leon Maranz, une soirée entière… Flavia aurait préféré ne pas subir un tel supplice ! Hélas, son père ne lui a pas laissé d'autre choix, menaçant de couper les vivres à sa grand-mère adorée, si elle ne jouait pas les hôtesses à cette réception. Certes, elle a promis de se montrer aussi agréable que possible. Mais de là à laisser ce play-boy l'épingler à son tableau de chasse… Aussi Flavia est-elle résolue à garder ses distances avec lui. Même si elle ne peut se défendre de frissonner sous la caresse brûlante de son regard…

LA NUIT SECRÈTE, *Robyn Donald • N°3321*

En voyant Rafe Peveril passer la porte de sa boutique, Marisa sent les battements de son cœur s'accélérer. Que vient-il faire ici ? Et pourquoi pose-t-il sur elle ce regard à la fois incertain et vibrant de désir ? Six ans ont passé depuis leur dernière rencontre, depuis cette nuit où elle s'est abandonnée à la passion dans ses bras. Une nuit au terme de laquelle elle a fui, persuadée qu'il n'y avait aucune place pour elle dans l'existence de Rafe… Et alors que ce dernier se tient aujourd'hui devant elle, encore plus beau et attirant que dans son souvenir, Marisa se voit submergée par l'angoisse. N'a-t-il pas le pouvoir de bouleverser la nouvelle vie qu'elle s'est construite, en révélant au grand jour le secret qu'elle protège depuis tant d'années ?

Attention, numérotation des livres pour le Canada différente : numéros 1781 à 1786.

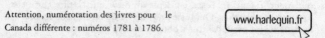
www.harlequin.fr

Du nouveau le 1ᵉʳ janvier 2013 dans votre

collection *Azur*

Elles sont liées...
par le plus insoupçonnable des secrets !

Découvrez la bouleversante histoire
d'Hannah et Emmeline dans :
Le destin d'une autre
et
Le serment du cheikh

**2 romans inédits réunis dans un volume
exceptionnel Azur, *Secrets au palais*.**

A découvrir le 1ᵉʳ janvier dans vos
points de vente habituels.

Composé et édité par les

éditions **HARLEQUIN**

Achevé d'imprimer en décembre 2012

La Flèche
Dépôt légal : janvier 2013
N° d'imprimeur : 70658

Imprimé en France